［写真提供］FINECUT

# Filmmakers㉔ホン・サンス

責任編集　**筒井真理子**

**オムロ**

豚が井戸に落ちた日　［写真提供］川喜多記念映画文化財団
女は男の未来だ　［写真提供］FINECUT

1996-2008

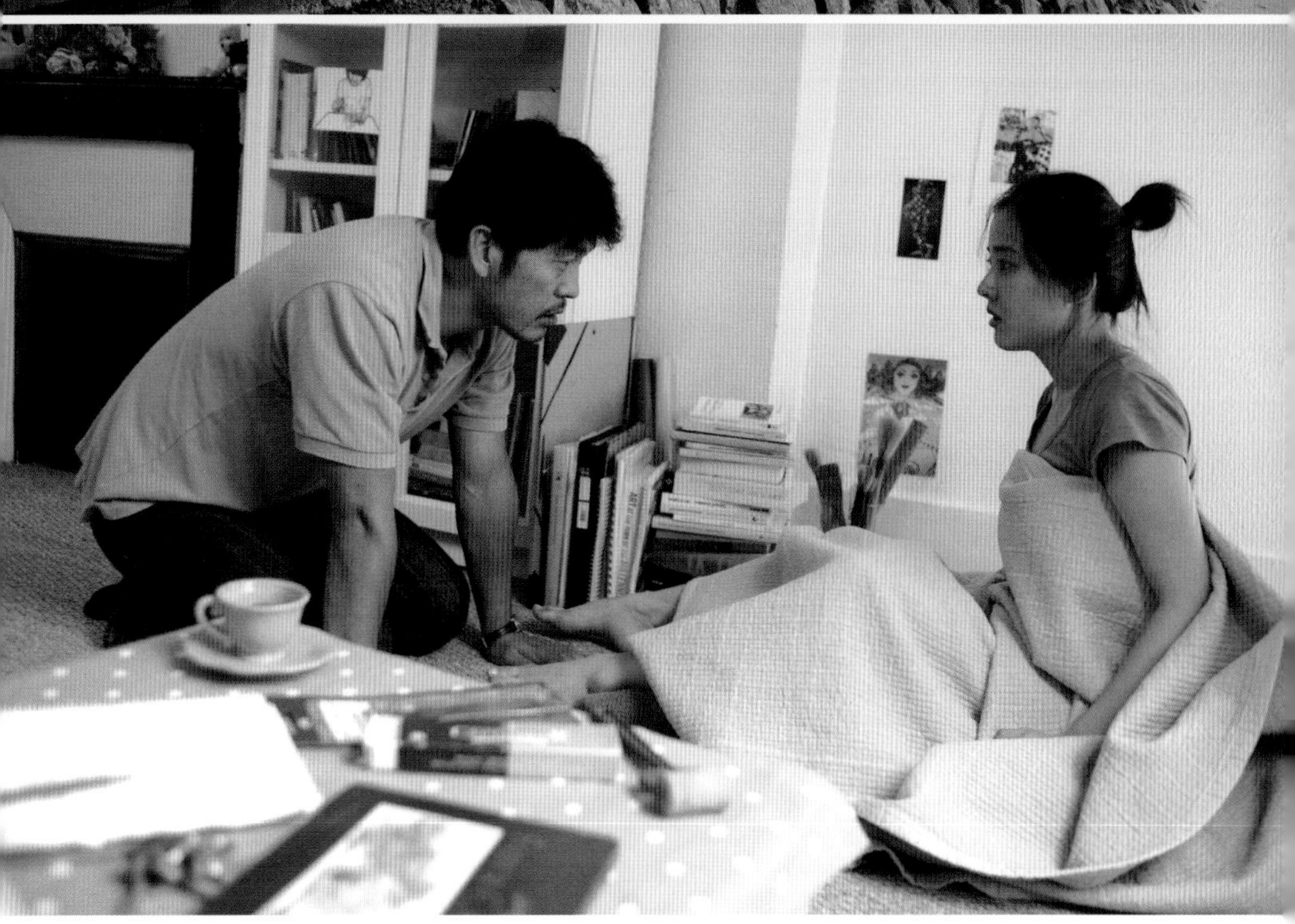

浜辺の女　[写真提供] FINECUT
アバンチュールはパリで　[写真提供] FINECUT

ハハハ ［写真提供］FINECUT
次の朝は他人 ［写真提供］FINECUT

# 2009-2016

３人のアンヌ　［写真提供］FINECUT
あなた自身とあなたのこと　［写真提供］FINECUT

川沿いのホテル　［写真提供］FINECUT
逃げた女　

# 2017-2023

あなたの顔の前に　
小説家の映画　

Walk Up（英題） 

In Water（英題） ［写真提供］FINECUT

In Our Day（英題） ［写真提供］FINECUT

フィルムメーカーズ㉔

# ホン・サンス
HONG SANG-SOO

# 巻頭言
# ホン・サンスに会いに行く

ホン・サンスは自身をさらけ出す。

若い頃から早々に物語の呪縛を捨て、作品を重ねるごとに技術や上手さを手放していった。とりわけ近年は分かりやすくシンプルになり、観ている私たちとの距離を近づけてくる。それなのに途中から物語を脱臼させては、なかなか消化させてくれない。私たちは思いがけず映画の手法に飼い慣らされている自分に気づきハッとさせられる。当たり前の中に埋もれていると映画から放り出されそうになる。セオリー通り観させてはくれないから、私たちは強制的に欠けたピースを脳内で補っていくしかない。そしてその時はすでにホン・サンスの罠に嵌っているのだ。

ホン・サンスは世界に正面から向き合い、その作品は現実から決して離れない。ゆえに底が知れない。あまりの嘘のなさに心に刺さって痛くて仕方ない。その痛みが笑えたりするのだから始末におえない。

かくして私たちはホン・サンスの世界に没入してゆく。お馴染みの登場人物にもまた会いたくなる。中毒になる。何度も観たくなる。そして観終わるたびに不思議と優しい気分になる。清々しいカタルシスがある。その地点に連れていってくれるのはホン・サンス自身が純粋で無雑な人だからなのかもしれない。

ホン・サンスの映画を観に行くということは、ホン・サンスに会いに行くということなのだ。

責任編集　筒井真理子

# フィルムメーカーズ24 ホン・サンス 目次

Ursula K.
Le Guin
지평생
막걸리

◉エッセイ

# ホン・サンスの映画なら、一生見続けられます

菊地成孔

まだ、最新作『小説家の映画』(22)を見ないまま書いていますが、最初に見たのが『アバンチュールはパリで』(08)で、以降、全作見ています。多くの媒体や自著に、彼の事を書きましたが、結局、書いていることは同じで「韓国人の監督がゴダール、ロメール、ブニュエルの三種盛りをしている(まあ、顕微鏡で探して小津とか=ご存知、多用、というか画面構成の基盤ともいうべきズームアップダウンとかが、影響受けてるんじゃないの、といえば言えると思うんですが、オリジナリティと考えたいところですね個人的に)、そんなもん全部観ずにはおかないですよ」ということだけです。

多作家ですが、基本はミニマリストで、実際に彼は「人間の人生はほとんど同じことの繰り返しだけだ」と発言している訳ですが、そんな彼もキム・ミニによってミニマルな反復にデカい破損が生じ(ここはゴダール的ですよね)、しかし再びミニマルに戻り、、と、言って

しまえばそれだけで、そこもまた素晴らしいですよね。かなりユング的で、集合無意識経由の平行宇宙（メタヴァースとか、あんなモンじゃないですよ）が、基本の世界観を作っているので、ただひたすら、集合無意識という大きな温泉に浸かっているような安心感があるので、どの作品も好きですね。『3人のアンヌ』（12）が最も好きな以外、私的ランキングもないです。全作好きですね。「これは詰まらない」「これは感動した」とかいった偏差値がまったくない。ホン・サンスの映画なら、一生見続けられます。

ブニュエルが死んで、ロメールが死んで、とうとうゴダールも死んで、彼らの（特に晩年の）エッセンスを伝えるのはホン・サンスだけだと思うんですよ。そういう在り方も凄いなあと思いつつも、「いつも良い調子で（痴話喧嘩的なきついバイブスが入ってるやつも）好きに撮ってるよな。すげえ気難しそうだけど」と思いますね。ホン・サンスの映画なら、一生見続けられます。

この文章は書いてるんじゃないです。スマホのカメラに向かって、「ホン・サンスの話をする」という事を2時間してみて、自動の文字起こしをしてから、チャットAIにまとめてもらいました。紙の書籍にはまだ動画が載せられないですけど、動画が載せたかったですね。ホン・サンスの映画みたいだったんで。

**菊地成孔**（きくち・なるよし）
1963年生まれ。サックス奏者。文筆家。コラムニスト。批評家。近刊に日中韓映画批評『菊地成孔の欧米休憩タイム』。共著『ジャン＝リュック・ゴダールの革命』。

◉作家論1

# ホン・サンスの小規模な「饗宴」

佐々木敦

ヨーロッパの名だたる国際映画祭の常連であり、日本でもコンスタントに新作が（時には何本もまとめて）公開されて人気の高いホン・サンスだが、本国である韓国での一般的な認知度はというと、名前は知られているが特にヒットしたりするわけではない（それ以前に普通の映画館ではあまり上映されていない）、かなりマニアックな立ち位置の映画作家、という扱いのようである。彼の作品を他の韓国映画と見比べてみれば、その理由は一目瞭然とも思われるが、ならばホン・サンスの作風やその個性が「韓国」とはまったく無関係なのかというと、もちろんそうではない。

最近はあまり言われなくなった気もするが、かつてホン・サンスは「韓国のエリック・ロメール[1]」と呼ばれていた。確かに似たところはあるものの（もちろん影響も受けているだろう）、重要なのは「韓国の」ということであって、おおむねいつも恋愛映画であり（そうでな

1

くても恋愛が重要な要素のひとつになっており）、常に会話劇であり、しばしば観光映画（リゾート）でもあったりするホン・サンスの映画は、なるほどロメール的と言えなくはないとしても、しかしそれがあくまでも「韓国人」と「韓国社会」を前提に描かれていることがポイントなのである。彼の作品は、配信ドラマやK-POPといった強力なコンテンツ＝文化商品とともに近年のグローバル市場を席巻している他の数多の「韓国映画」よりも、はるかに韓国の国民性やローカリティに根ざしている。そして、そんなホン・サンスの「韓国（人）らしさ」が最もクリアに出ているのが、彼の映画にほぼ例外なく存在している、主要登場人物たちが酒を酌み交わしながらああだこうだ喋る場面、すなわち「呑み」のシーンである。

そもそもアルコールを嗜む食事シーンの多さもホン・サンスがロメール的と言われた理由のひとつなのだが、フランスと韓国では食文化も酒席の習慣も大きく異なっている。ホン・サンスの食事シーンが韓国映画にしてはヨーロッパ的（?）という見方も出来るかもしれないが、逆に言えばそれはロメールなどと並べるにはやはり韓国的であるということでもある。ワインとマッコリの違いと言ってもいいかもしれない。サラダとキムチの違いというか。だが、それ以上に違うのは何と言っても酔いっぷりだろう。ロメールの映画にも酩酊のエピソードはあったかもしれないが、ホン・サンスの登場人物は、とにかく延々と呑み、呑み続け、呑み過ぎて、頻繁に泥酔する。そして多くの場合、その泥酔は物語のその後の展開に大きな影響を及ぼすことになる。

ここで二つのことを指摘しておこう。まず第一に、ホン・サンス映画の「呑み」においては、それをするのが二人である場合と三人以上である場合とで交わされる会話の内容というかストーリーテリング上の役割が異なってくるということである。三人以上のときは、そこでの会話はその場の誰かが持ち出した何らかのテーマに即した「議論」の様相を呈することが多い。議論と言っても雑談に近い緩い雰囲気の場合もあれば口角泡を飛ばすディスカッションもしくはディベート（というか口論）に発展することもあるのだが、いずれにせよそれは私的な感情を吐露するものというよりは、知的とも呼び得るような客観的な会話の体をなしており、時には高尚な哲学談義に思えてくることさえある。だが、二人だけの場合は、きっかけは同じく議論や口論めいていても、やがてどちらか片方、あるいは二人とも酩酊することによって、両者の関係性に何かしらの変化を齎すような出来事が起こることになる。その二人が男女であるならば、これはホン・サンスの場合非常にしばしばと言ってよいかと思うが、それは恋愛沙汰に、すなわち告白や誘惑や駆け引き、要するに口説きに展開することが非常に多い。そしてその際、口説こうとするのはもっぱら酩酊から泥酔へと躊躇なく突き進む男性の方である。もちろんすべてがそうであるわけではない（かもしれない）が、このパターンの頻度が非常に高いということは、ホン・サンスの映画を一定数以上観ている方ならば、たちどころに首肯してくださることだろう。

もう一点は、にもかかわらず、そこで交わされる会話の中身には、じつのところほとんど何の意味もない（のではないか）ということである。確かにそれらは、人生論であったり、世界認識であったり、恋愛についての省察であることもあれば、創作にかんする問題提起であったりもするのだが、それらはいずれも、いうなれば議論のための議論なのであり、たとえどれほどいかにも深そうな内容が語られているようであっても（実際に語られているのだとしても）、本質的には時間稼ぎ、時間潰しのようなものでしかない。いやもちろん、それなりに興味深かったりはするのだが、ホン・サンスの映画においては、人物に何か意味のある話をさせるために呑みの場面があるというよりは、呑みの場面があるがゆえに何か話をさせなくてはならず、ではいかなる話をするのか、という順序になっているのではないかと思えるのだ。つまり重要なのはあくまでも呑みという状況、すなわち「宴」なのである。ではなぜ宴が必要なのか、ここでもおそらく逆算が正しい。つまり、登場人物を酔っ払わせたいから、呑みの場面が必要なのである。

ほぼ例外なく飲酒→酩酊→泥酔というプロセスを歩むことになるホン・サンス映画の呑みの場面は、物語のクライマックス、あるいはその直前に置かれていることが多い（何度も設けられている場合もあるが）。繰り返すが、そこで何ごとが語られているのかはさして重要ではない。どうしても描かれなくてはならないのは、誰かが酔っ払うことによって、それまでは隠蔽されていたり、観客が予想していなかったような意外性のある何かが顕在化することである。それは登場人物の性格的な問題であったり、思いもよらぬ大胆さであったり、逆に臆病さであったり、秘密の片鱗であったり、秘密そのものであったりもする。それは台詞以上に行為によって示されることの方が多い。つまりしばしば酔った上での狼藉というかたちで描かれる。そしてそれらが総じて明らかにするのは、一言で述べれば、酔っ払っている人物と、それ以外の人物（たち）との関係性の変化である。ここでの関係性とは、やや大袈裟に言えば権力関係と呼んでもいい。宴のシーン以前に観客は登場人物たちの立場やヒエラルキーをなんとなく理解しているが、誰かがひどく酔っ払い、事件とまでは呼べないまでも、あーあやっちまったなとその場にいれば内心呟くだろう失敗や醜態が晒された結果として、それ以前に観客に示されていた関係性に思いがけない変化が生じる。そして、その変化が映画を結末に導くことになる（ことが多い）。つまりホン・サンスの映画において、呑みの場面は、物語を語るうえで、極めて、いや、もっとも重要な役割を持たされているのである。

そうした変化がなぜ変化として受け取られるのかといえば、そもそもの人物同士の関係性（権力関係）が、年功序列や権威性や雇用やジェンダーなどにかかわる韓国社会の保守的な慣習／因習を前提としており、それらが揺らぐ、もしくは反転する（あるいはその予兆を感じさせる）ような類いの変化であるからだ。「先生」や「先輩」を敬い、社会的な立場の優位性に敏感で、雇い主に頭が上がらず、と同時に働き手への要求が過剰になりがちで、男女差が無意識に機能し続けている、旧態依然たる社会のありさま。だが、かといってホン・サンスの映画は、そうした保守性にあからさまに楔を打ち込んでみせるわけではない。彼の作品は、いわゆる社会問題への異議申し立て的な側面はむしろ希薄である。だがそれは単純な意味での現状肯定とも違う。そこで描かれるのは、そのような問題や矛盾のナチュラルな追認、韓国社会における無意識の共有と、ひとりの個人としての感情や思惑とのあいだに生じる微細なコンフリクトやブレのようなものである。ホン・サンスの映画における「呑みの場面」とは、映画を一本の物語にまとめ上げる装置であると同時に、個人と個人の権力関係、個人と社会との緊張関係のありようを映し出す鏡のようなものになっている。ホン・サンスのささやかな「饗宴」（プラトン）は、ほとんど紋切り型とさえ言えるような類型的（で保守的）な関係性を踏まえながらも、フィルモグラフィを追うごとに時代の変化——それは韓国社会の変化であり、それを取り巻く国際社会の変化でもある——を反映し、少しずつアップデートされてきた。そして気づいてみると、いつの間にかひとつの分水嶺を乗り越えていた。彼の「饗宴」は初期とは似て非なるものに変貌を遂げていたのである。

ところで昔から疑問なのだが、実際のところ「酔って本音が出る」と「酔って人が変わる」のどちらが正しいのだろうか？　本心が露呈されることによって普段の人柄とは一変して見えるということではなく、酩酊という状態が導き出すのは「本当の人格」なのか「別人格」なのか、という問題である。「あのときは酔っていたから」などと言い訳をするとき、酔っていたから何だというのか。ひた隠しにしていたものがアルコールの作用によって漏出してしまったのか、あるいは自分でもまったく思いもよらぬ言動に及んでしまったというのか。実際問題、この問いに正確な答えは出せないように思う。それにどちらにしろ、それはやはり言い訳に過ぎない。だがひとつ確実に言えることは、どのような説明をつけようとも、自分は酒に酔ってそれをしてしまったのであり、認めようが認めまいが、もうそうする以前の過去には戻れない、ということである。ホン・サンスが描いてきたのは、要するにそういうことだった。

監督第二作の『カンウォンドのチカラ[2]』（一九九八年）にはすでに男女の泥酔のシーンが存在する。だが、その時点では新人監督に過ぎなかったホン・サンス「らしさ」はまださほど感じられない（だが映画は傑作である）。主人公がことごとく著名な映画監督だったり名門大学の教授だったり人気作家だったりするようになるのは、それから十年以上が経ったおよそ二〇一〇年前後からである（精確に言えばそれ以前も芸術家が主人公であることは多かったが、彼らが偉くなったのがこの頃なのである。これはやはりホン・サンス自身のステイタスの変化を反映していると見るべきだろう）。呑みのシーンはどの映画にもあるが、現時点から振り返ってみると、その後の変化の端緒であったと思われるのは、キム・ミニがホン・サンスの映画に初めて主演し、二人が不倫関係となるきっかけとなった『正しい日 間違えた日[3]』（二〇一五年）だろう。『ハハハ』（二〇一〇年）あたりからホン・サンスの映画は語り（ナラティヴ）の形式性が急激に強まっていき、ほとんどパズルシネマと言ってよい『自由が丘で』（二〇一四年）でひとつの極点を迎えたが、その次作に当たる同作は題名通り、いったん語り終えた物語をもう一度やり直すという実験作である。だが、その「やり直し」は単純なものではない。映画監督の主人公（チョン・ジェヨン）は自作の上映のためにやってきた水原（スウォン）の華城行宮（ファソンヘングン）で魅力的な若い女性ヒジョン（キム・ミニ）と知り合う（映画の冒頭で彼は彼女をホテルの部屋の窓

写真提供 A PEOPLE

から見て「可愛いから気をつけないと」と内心で呟く)。彼は画家の卵であるヒジョンのアトリエに行き、絵を見せてもらう。監督は彼女の絵を褒めそやす。二人は刺身の店に行って酒を呑み、酔った監督は知り合ってまもないヒジョンを可愛いと言う。彼女もまんざらでもない様子だが、女性の先輩(チェ・ファジョン)の呑み会に顔を出す約束をしていたことを忘れていたと言い、監督も一緒に行くことになる。小規模な呑み会で酒を酌み交わしながら先輩が、監督が既婚者であること、女性関係の噂があることを語る。それを真顔で聞いていたヒジョンは悪酔いして別室で寝てしまう。監督はヒジョンを起こしに行き、一緒に外に行こうと誘うが、彼女は帰ってくださいと言う。監督がひとりで帰ったあと、ヒジョンも外に出ると母親(ユン・ヨジョン)が夜道に迎えに来ている。翌日、監督の上映会は対談相手に批判されてさんざんな結果となり、ヒジョンも現れることはない。

二度目は監督がヒジョンのアトリエに行くまでは同じだが、そこで彼は彼女の絵について辛辣な意見(本音)を口にする。二人は刺身の店に行き、先輩の呑み会に合流する。ヒジョンは酔って別室で寝る。残された監督は泥酔して先輩たちの前で服を脱ぎ出す。彼はヒジョンとともに帰ることになり、彼女の家の近くまで行く。また外に出てきて欲しいと監督はヒジョンに言うが、彼女は戻ってこない。翌日、上映会は成功に終わる、ヒジョンが来て、これから監督の映画を観ると言う。二人は穏やかに別れる。

二つのパートの冒頭には、それぞれ「あの時は正しく、今は間違い」「今は正しく、あの時は間違い」という字幕が出る。後半のパートで監督は良くも悪くも自分の本心に従って行

動する。最初のパートでは当人は隠しているつもりでも観客には丸わかりだったものが、後半では晒け出されることによって、むしろ彼はいわば魂の平安を得るのである。どちらのヴァージョンでも彼の欲望は叶えられることはないが、初対面の人たちの前で醜態を晒したのにもかかわらず、二番目の方が正しいヴァージョン、一種のハッピーエンドとして提示されている。そしてそこでは「呑み」が重要な役割を担っている。監督とヒジョンはともに泥酔するが、しかし二人のあいだには何も起きない。彼は可愛い彼女を口説きたいと思い、彼女も有名監督の彼に憧れを抱いているが、そこに恋愛関係が成立することはない。現実世界ではそうなってしまったわけだが、キム・ミニという女優が、このような存在としてホン・サンスの世界に登場したということは極めて重要だと思われる。

実際、これ以後、ホン・サンスの作品は急激に変化していった。男性の監督や教授や作家が出てくる点は同じだが、重心も視点も彼らに相対する女性たちの側にはっきりと移動していく。いずれもキム・ミニが主演した『夜の浜辺でひとり』（二〇一七年）や『逃げた女』（二〇二〇年）といった傑作を経て、決定的に重要だと言えるのは、ミニが出ていない『あなたの顔の前に』[4]（二〇二一年）の「呑み」のシーンである。長年住んでいたアメリカから帰国した伝説の女優が、彼女を映画に出したいという年下の監督と酒を呑む。例によって二人はひどく酔っ払い、いつものようにそこには口説きの雰囲気が生じる。そこで彼女はおもむろに言うのだ。「私と寝たいのね」。主演は、この映画がホン・サンス作品への初出演だっ

4

たベテラン女優イ・ヘヨン。以前とは男女の関係性が逆転している点に注目するべきだろう。この問いに監督がどう答えるのか、彼女はどうするのか、二人はどうなるのかは敢えて伏せておく。ちなみにイ・ヘヨンはキム・ミニとダブル主演の『小説家の映画』[5]（二〇二二年）の「呑み」のシーンでも過去のホン・サンス映画とは明確に異なる態度を見せてくれることを付け加えておく。

ホン・サンスの「饗宴」は、もはや男たち、権力者にとって都合の良い場処ではない。ここに彼とキム・ミニとの関係性の変化、二〇一〇年代半ば頃からの韓国社会の変化、そして全世界的なジェンダーポリティックスの変化が作用していることは間違いないだろう。この先どうなっていくのか、更なる変化に注目したい。とはいえ、どうやら酒を呑むのだけはやめられないようだが。

**佐々木敦**（ささき・あつし）
思考家。文筆家。HEADZ主宰。近刊に『映画よさようなら』。共著に『反=恋愛映画論』。文学ムック「ことばと」編集長。映画美学校言語表現コース「ことばの学校」主任講師。

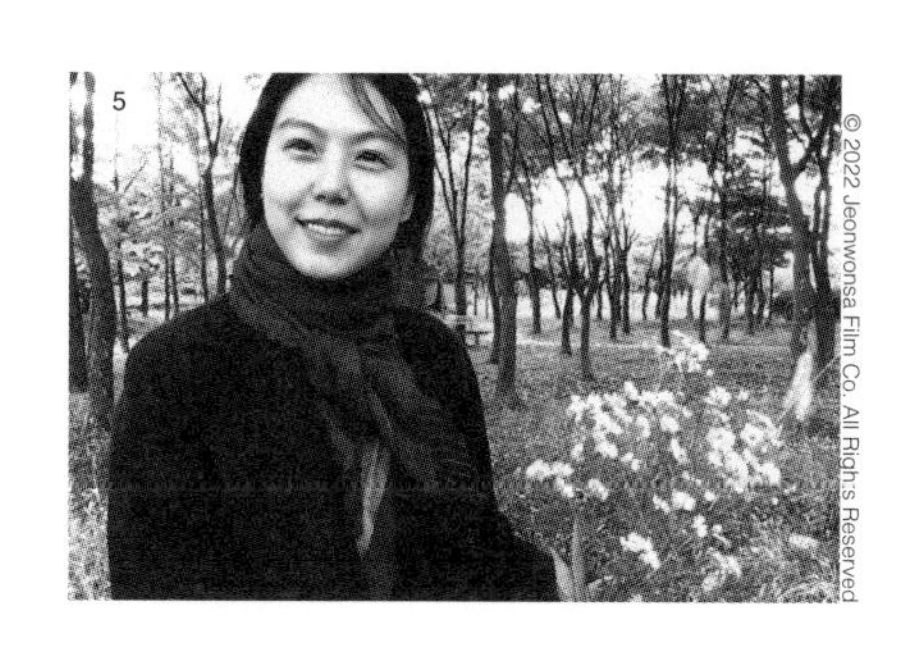
5

◉作家論2

# 残響としての映画
## ——ホン・サンスへの漸近線

谷 昌親

ホン・サンスはロメール的なのだろうか。映画監督としてデビューしてからすでに四半世紀以上が経つにもかかわらず、いまでもホン・サンスには「韓国のエリック・ロメール」という形容がついてまわる。たしかに男女の恋愛模様を日常生活のなかで軽妙に描くその作風はロメールに通じるところがある。とくに初期の作品は、男ひとりに女ふたり、あるいはその逆に女ひとりに男ふたりという関係を描いたものが多く、「六つの教訓話シリーズ」でロメールが、ふたりの女のあいだで揺れ動く男の物語を変奏してみせたことを思い起こさせる。

しかしその一方で、ホン・サンスには「韓国のゴダール[1]」という称号もあたえられている。ある時期からのホン・サンスは、おおまかな設定だけを決めておき、あとは俳優を撮影現場に集めてから、その日その日の台詞を書いて渡しているというが、それはまさにゴダールが『勝手にしやがれ』(60)で始めた撮影法だ。さらに、キム・ミニと組むようになって

1

からのホン・サンスには、アンナ・カリーナがミューズだったころのゴダールが重なって見えてくる。

しかし、菊池成孔が「ロメールとゴダールとブニュエル[2]の三種盛り」と強調するように、ブニュエル的な側面もホン・サンスにはある。現実だと思っていたものが夢だったり、一種のパラレルワールドが描かれるなど、日常的な世界のなかに幻想が忍び込んでいるあたりは、たしかにブニュエルに匹敵するような大胆な設定になっていて、物語の単線性が脅かされているのだ。

ロメールにしろ、ゴダールにしろ、ブニュエルにしろ、わたしたちがそうした固有名詞を挙げてみたくなるのは、未知の才能に出会ったとまどいゆえにという部分が大きいだろう。当然ながら、ホン・サンス本人にとってみればあずかり知らぬことであるはずだ。ところが、『女は男の未来だ[3]』（04）のフランスでの公開時におこなわれた『カイエ・デュ・シネマ』誌のインタヴューにおいて、セザンヌと関連づけるかたちではあるが、ロメールについて一歩踏み込んだ発言を残している。「ロメールの映画を観ると、わたしがセザンヌで好きな点を彼の作品にも見出すのです」としたうえで、セザンヌは山や樹や水差しといった具体的な物の前に立ちつつも、「そうした生の素材を抽象へと発展させるために使う」のだと述べ、ロメールも同じような「具体と抽象の接合」をおこなっていると付け加えているのである。

では、ホン・サンスがセザンヌやロメールに見出す「具体と抽象の接合」とはいかなる

3

写真提供　FINECUT

2

ものなのだろうか。哲学者メルロ=ポンティはセザンヌの描く世界を「人称以前」と呼んだ。古典的遠近法によって見せかけの奥行を作り出していないセザンヌの絵画は、たしかに平板に見え、人間の知覚によって組み立てられた慣習的な表象とは異なる世界のように眼に映る。古典的絵画の世界が一点透視法的に片目で見られた世界だとすれば、セザンヌの絵画が示すのは両目で見られた世界なのだ。しかし、だからこそ、古典的絵画では視界から零れ落ちてしまう「生命と震え」を拾い上げることができる。ひとつひとつの画面の構図においても、そして物語の構成においても奥行きを欠いているように見えるホン・サンスの映画もまた、実は目の前の現実を両目で見つめ、「人称以前」の世界の「生命と震え」をとらえようとしているのではないだろうか。

『正しい日 間違えた日』(15)の公開にあわせてフランスの日刊紙『リベラシオン』に掲載されたインタヴューにおいてホン・サンスは、この作品の前半と後半で繰り返されるほぼ同一のふたつのエピソードについて、それはふたつの別の世界で、符合する部分もあるものの、「接続不可能な点もいくつかある」と説明している。そうした異なる世界がぶつかりあうことで、「際限なき残響」のように、無数の可能性が開けてくるのだ。『正しい日 間違えた日』の場合は、同じ出来事のふたつのヴァージョンを扱っているが、日常的な場面での恋愛沙汰を繰り返し語るホン・サンスの映画は、つねにそうした「際限なき残響」を奏でているように思われる。前述の『カイエ・デュ・シネマ』のインタヴューで彼は、日常のなかで

気にとめた些細な事柄をカードに書き留め、そうした日常の断片の組み合わせから映画を作り上げると明かしている。ハリウッドを中心に確立された慣習的な劇映画の世界をあえて壊し、あらたに組み立てなおすことで生まれてくるその作品は、彼がおそらく最も敬愛しているはずのひとりの映画監督を想起させずにはおかない。ホン・サンスは、アメリカで映画の勉強をしていた若き日に、シカゴ美術館でセザンヌの《リンゴのプレート[4]》を見て衝撃を受けたのだが、ほぼ同時期にやはりシカゴでロベール・ブレッソンの『田舎司祭の日記[5]』（51）を観ていたのである。そのブレッソンとの出会いが、それまで実験映画的な短篇ばかり作っていた彼を劇映画へと向かわせた。そのせいか、その後の彼は数年間にわたってブレッソンの著書『シネマトグラフ覚書』を持ち歩いていたという。

むろん、ブレッソンの映画はホン・サンスの世界とは似ても似つかない。ブレッソンがしばしば取り上げた宗教的なテーマはホン・サンスの映画には皆無だし、ブレッソンのように職業俳優を排するわけでもない。しかしながら、ブレッソンこそ既成の映画作りを問い直し、みずからの作品を「映画」と呼ばず「シネマトグラフ」と呼んだ監督であったことを思い出すべきだろう。ブレッソンは書き記している。「映像は、辞書の単語と同様に、その位置と関係のみによって力と価値を持つ」、だからこそ「取るに足らぬ（意味を欠いた）映像の数々に専心すること」。ブレッソンはまさに、絵画でセザンヌがおこなっていたように、片目で眺められた慣習的な表象の世界を嫌い、あえて両目で見つめ、非人称的とでも呼べる世

5

界を構築しなおそうとしたのだ。「創造すること、それは人物や事物を歪曲したりでっちあげることではない。それは、存在する人物たちの間に新たな諸関係を取り結ぶことだ。しかもそれらが存在しているままの姿で」（『シネマトグラフ覚書』松浦寿輝訳、傍点原文）。おそらくホン・サンスにとって、ロメール以上に「具象と抽象の接合」をセザンヌ的に成し遂げた映画作家はブレッソン[6]だったのだ。だからこそ彼は、ブレッソンに倣い、既成の映画表現に安住せず、映画に向かってつねに問いかける姿勢を忘れないでいるのである。

6

**谷　昌親**（たに・まさちか）
早稲田大学教授。著書に『ロジェ・ジルベール＝ルコント　虚無へ誘う風』『いま、映画をつくるということ』（共著）『ジャン・ルーシュ』（共著）『ニコラス・レイ読本』（共著）など。

# ホン・サンス、その知られざる略歴

赤塚成人 翻訳・編集（四月社）

ホン・サンスは1960年10月25日にソウルで生まれた。父ホン・ウィソンと母チョン・オクスクは1960年代に大韓聯合映画社を設立し、脚本家チョン・ボムソンの初監督作『秋風嶺』（65）をヒットさせた名物プロデューサー夫婦。70年代に番組制作会社シネテルソウルを創業し、1984年に制作した日韓文化人洋上討論会のテレビ番組（下関と釜山を結ぶフェリー上で催され、日本の参加者は大島渚、中上健次、岡本太郎、筑紫哲也ら）は日本でもテレビ放映され、大島のバカヤロー発言が物議を醸した。IMDbによれば４人姉弟のひとりで、ホンは第３子と推察される。

取材嫌いのホン・サンスだが、デニス・リムが2022年「ニューヨーカー」に寄稿した記事によれば、若い頃はかなり厭世的で、「死んだ方がまし」と自分に言い聞かせ、早くから酒やタバコを嗜んでいた。高校卒業後も大学受験せずぶらぶらしていたが、ある日、家に来た母の友人の演出家オ・テソクに、「君は演劇に向いている」と言われ、その言葉に背中を押された彼は、1980年、多くの演劇人を輩出しているソウルの中央大学映画演劇学科に入学する。しかし、先輩学生への絶対服従を是とする学科の気風に反発し、僅か１年で退学してしまう。同じ頃、映画に興味を持ち始め、1982年、カリフォルニア美術大学に留学し、卒業後はシカゴ美術館に附属する美大で学んで修士号を得た。海外に留学したのは兵役を逃れたい気持ちもあったからで、1985年、留学中の25歳の時にアメリカ在住の韓国人女性と結婚している。

1990年に帰韓したホンは家業の番組制作の仕事に就いたが、映画監督への夢は断ちがたく、翌年パリに滞在し、１年間シネマテークで古い映画を貪り見た。『豚が井戸に落ちた日』（96）で監督デビューしたのは35歳と遅咲きだった。

ホンは家族についてほぼ口を閉ざしているが、母親のチョン・オクスクは文化・芸能界から政界まで幅広い人脈をもつ“女傑中の女傑”であり、豪放磊落な母と、彼女を取り巻く著名人への違和感が、彼の思春期を形成してきたことは間違いない。2015年、85歳で他界した母の葬儀に集まった著名人のうちのひとりがイ・ヘヨンで、彼女の華奢な体つきを見て、ホンは母よりも先に死んだ次姉を思い出したという。この次姉ホン・ギョンミは、1996年から日本で法廷通訳として韓国人被告のために働いていた人物で、子宮頸がんを患い2010年以前に50歳で没している。『あなたの顔の前に』（21）は母と次姉、２人の肉親女性の面影が投影された作品といえよう。

**参考文献** Dennis Lim, Hong Sangsoo Knows if You’re Faking It, New Yorker, May 15, 2022. 黒田勝弘「玄界灘に「道を開けた」女傑」産経新聞2015年7月12日。『あなたの顔の前に』映画パンフレット所収の監督インタビュー。韓国フィルムカウンシル ウェブサイトほか。

俳優紹介

# ホン・サンス映画の出演者たち

佐藤 結

## 監督の分身のような男性キャラクターに扮した男優たち

ある時期までホン・サンスの映画は「自由奔放でちょっと愚かな人間たちが、酒を飲んで他愛もない会話を繰り返し、やたらに目の前にいる相手を口説く」という一文でまとめられそうな内容を、微妙な違いを随所に挟みつつ無限に変奏しているよう見えた。映画の中に登場する男性主人公たちのほとんどは監督や俳優、大学教授で、だぶだぶなズボンによれよれのジャケットやコートといった服装も含め、ホン・サンス監督の分身のようにも見えた。

たとえば『気まぐれな唇』（02）の俳優ギョンスは仕事がうまくいかず、観光地の春川（チュンチョン）や慶州（キョンジュ）に出かけ、そこで出会った女性たちと一夜を過ごす。この役を演じた**キム・サンギョン**[1]は、見たばかりの映画に出ていた女優を追い回す『映画館の恋』（05）、街で出会った観光ガイドを追い回す（!）『ハハハ』（10）にも主演。『女は男の未来だ』（04）、『浜辺の女』（06）、『よく知りもしないくせに』（09）の**キム・テウ**[2]と合わせ、ホン・サンス映画における「00年代の男」と言ってよいだろう。

1

2

２０１０年代前半は**イ・ソンギュン**[3]の時代だった。よく響く低い声がトレードマークの彼がホン・サンス映画に初めて出たのは08年の『アバンチュールはパリで』。北朝鮮からの留学生という、意外な役だった。その後、若い女性たちが主人公の『教授とわたし、そして映画』（10）、『ヘウォンの恋愛日記』（13）、『ソニはご機嫌ななめ』（13）の３本では、それぞれ相手役を務めた。映画の舞台が大学近辺で彼が演じている人物全員が映画監督であるせいか、この３本はなんとなく続きものであるような気がしてしまうのが不思議だ。もうひとり、この時代に私たちを楽しませてくれたのが**ユ・ジュンサン**[4]。ミュージカル俳優としても活躍し、いつもエネルギーいっぱいの彼が監督の分身的な主人公として登場するのは『次の朝は他人』（11）だけだが、イザベル・ユペールの前でギター片手に自作の歌を歌う謎のライフガードが笑いを誘った『３人のアンヌ』（12）を含め、７本の作品に出演している。『ハハハ』と『ヘウォンの恋愛日記』では客室乗務員と付き合っている既婚の映画評論家という同じ人物に扮しているのもおもしろい。

後述するように、『正しい日　間違えた日』（15）で起用したキム・ミニという俳優との出会いによってホン・サンスの映画は大きく変貌をとげ、その後は、女性中心の物語が増えていくが、監督の分身のような男性キャラクターは引き続き姿を見せる。妻と恋人の間であたふたする出版社社長に扮した『それから』（17）以降、そうした役を最も多く演じているのが**クォン・ヘヒョ**[5]だろう。『逃げた女』（20）では主人公のかつての恋人、『あなたの顔の前に』（21）では主人公に映画を撮ろうともちかける監督、『小説家の映画』（22）では主人公

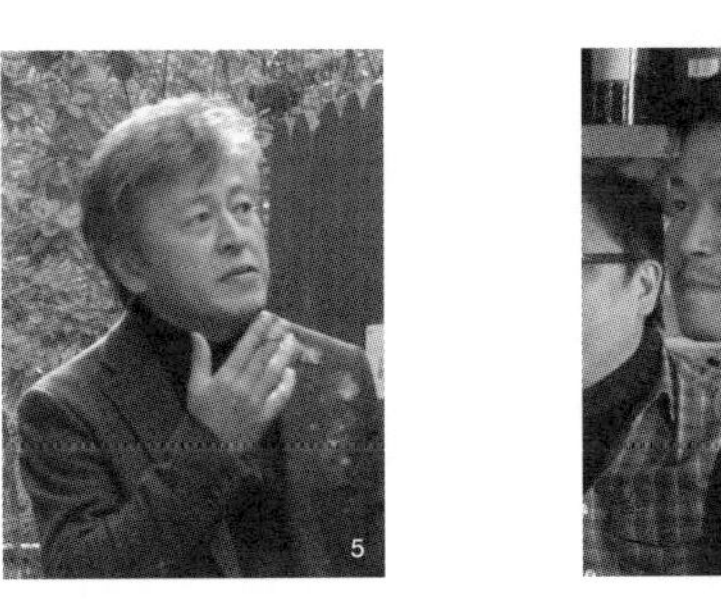

と旧知の監督を演じ、『Walk Up』(22)では、映画の中心となる監督役だった。さらに彼の場合は、妻である**チョ・ユニ**[6]と『それから』を含め4本で共演しているのが特筆される。

ホン・サンスが歳を重ねるにつれ、彼の映画を見ていて「老い」について考えさせられることも増えてきた。そうした映画では**ムン・ソングン**[7]や**キ・ジュボン**[8]が監督の分身のような男性キャラクターを演じている。ムン・ソングンは『オー!スジョン』(00)に初登場して以来、「男性主人公の恋敵となる年上の先輩」を演じることが多かったが、『夜の浜辺でひとり』(17)では、主人公が別れたばかりの映画監督に扮した。また、キ・ジュボンも『アバンチュールはパリで』に始まり合計11本に出演しており、『川沿いのホテル』(18)、『イントロダクション』(21)、『小説家の映画』(22)といった作品で、人生の後半に差し掛かった人物を好演している。長年、自分よりも若い俳優たちに自身を投影していたホン・サンスも還暦を過ぎ、年長の先輩たちの中に未来を見始めたのかもしれない。

## 耳に残る女優たちの声

男と女の物語から、女性の、あるいは女性たちの物語へと、当たり前のように変貌してきたホン・サンス映画の中に登場してきた女性たちを振り返ったとき、最初に思い出すのは彼女たちの声だ。

『オー!スジョン』で主人公スジョンを演じた**イ・ウンジュ**[9]は公開当時、わずか19歳。CMのモデルから俳優に転身しテレビドラマを中心に活動していた彼女の声を聞いたホン・サ

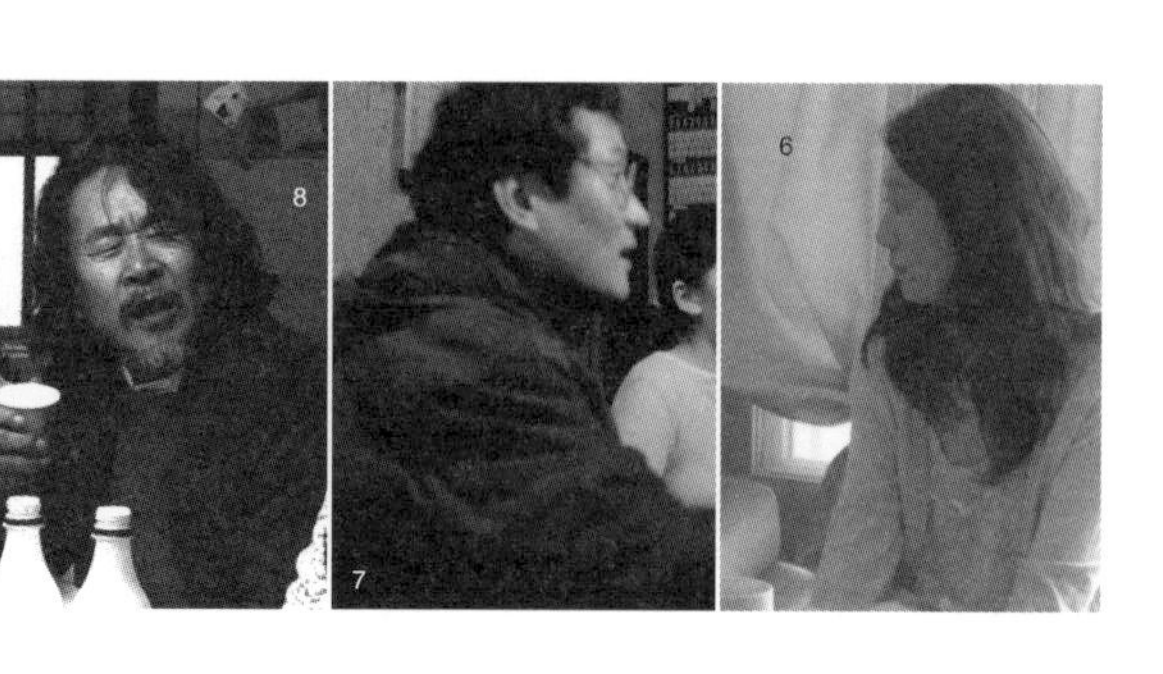

ンス監督がすぐにキャスティングしたというほど、憂いを帯びた声が印象的だった。『映画館の恋』と『よく知りもしないくせに』の**オム・ジウォン**[10]も少し鼻にかかった声が耳に残る。さらに、鼻にかかった声といえば、『ミナリ』（20）でアカデミー賞助演女優賞に選ばれ、世界的な名声を得た**ユン・ヨジョン**[11]を忘れてはならない。初出演となった『ハハハ』で主人公の母親に扮した彼女は、いくつになっても褪せることのない色気で息子をやきもきさせる。また、『3人のアンヌ』でイザベル・ユペール、『自由が丘で』（14）では加瀬亮と共演し自然な演技を見せた。一方、『教授とわたし、そして映画』や『ソニはご機嫌ななめ』などに主演した**チョン・ユミ**[12]は湿り気がほとんど感じられない硬質な声を持つ。複数の男性たちから言い寄られながらも、頑固に我が道を行く人物がよく似合っていた。

15年から20年にかけてのホン・サンスの映画は**キム・ミニ**[13]の声を通して記憶されている。『正しい日　間違えた日』で初めて彼の映画に登場し、『夜の浜辺でひとり』以来、公私にわたるパートナーであることを公言している彼女の声は、か細い中に強い意思を感じさせる。そして、そんな彼女の個性を反映してか、『夜の浜辺でひとり』、『クレアのカメラ』（17）、『それから』といった作品からは過去作とはひと味違った〝生真面目さ〟と〝潔さ〟が感じられるようになった。特に『夜の浜辺でひとり』の、ドイツの公園で突然、おじぎをする場面や、『それから』で出版社の社長に向かって生きる意味を問い詰める場面が忘れ難い。その後は『逃げた女』で複数の友人たちの家を訪ね歩いていく狂言回しのような役を演じたり、『イントロダクション』で脇に回ったり、出演はせずにスタッフとして参加したりと、

自由に作品作りにかかわっている様子が伝わってくる。

『あなたの顔の前に』でホン・サンスは「人生の終盤に差し掛かった女性」という新たなキャラクターを登場させた。演じたのは60年代を代表する監督イ・マンヒの娘として知られ、自身も80年代から数多くの映画やドラマに出演しながら華やかなキャリアを築いてきた**イ・ヘヨン**[14]。おなじみとなっていたきつめのアイラインはおろか、化粧気のまったくない顔で登場したことにまず驚かされた。独特の声や外国語混じりのようなイントネーションは健在ながら、自然体であると同時に、長く俳優として過ごしてきたことを随所に感じさせる美しい身のこなしで、ある決意をもって帰国した女性の平凡でいて奇跡のような1日を見せた。彼女はその後も『小説家の映画』で小説が書けなくなり映画作りに興味を示す有名作家、『Walk Up』では、クォン・ヘヒョ演じる主人公を迎えるビルのオーナーに扮した。

主演級の俳優だけでなく、繰り返し登場する助演俳優たちの個性もホン・サンス映画には欠かせない。声ということで特に思い出されるのが『よく知りもしないくせに』以降、10本の映画に顔を見せている**ソ・ヨンファ**[15]だ。『夜の浜辺でひとり』で既婚者との恋愛をめぐる騒動を逃れるようにドイツにやってきた主人公を迎える年上の友人、『逃げた女』で主人公を家に迎える友人、『小説家の映画』でも主人公と久しぶりに再会する友人を演じた彼女の深く静かな声はいつでも耳に心地よく、どこか頼りない主人公たちの姿をくっきりと縁取るような効果を感じさせてきた。一方、『気まぐれな唇』で見せた大胆なダンスで主人公だけでなく観客の度肝を抜いた**イェ・ジウォン**[16]は、『ハハハ』と『ヘウォンの恋愛日記』に

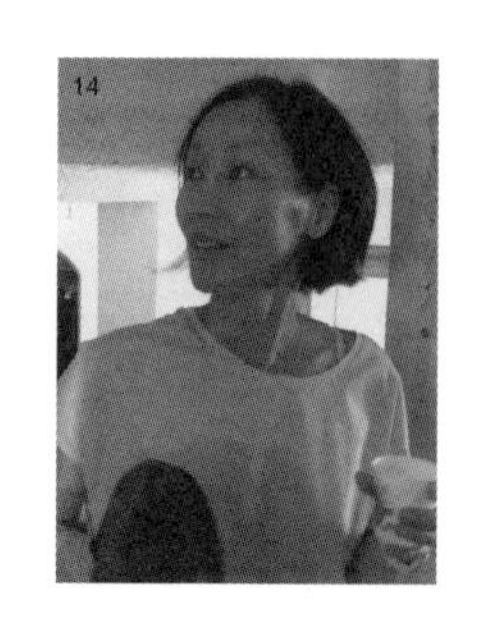
14

15

16

ユ・ジュンサン演じる既婚の映画評論家の恋人という同じ役どころで登場。しばらく顔を見せていないなと思っていたところ、『イントロダクション』で主人公との再会を喜ぶ旧知の看護師を演じていたのがうれしかった。また、『浜辺の女』から『Walk Up』まで15年以上にわたって出演を続けている**ソン・ソンミ**[17]は女性主人公の友人を演じることが多く、のんびりとした口調とどこか突拍子もない言動が笑いを誘う。

## 名優たちと若者たち

ホン・サンス映画を振り返ると、「あ、こんな俳優も出ていたのか!」と驚かされることがある。『豚が井戸に落ちた日』(96)では、名実ともに韓国最高の映画俳優である**ソン・ガンホ**が、主人公の友人役で映画デビューを果たした。また、この作品で主人公のヒョソプを演じた**キム・ウィソン**[18]は00年以降、10年にわたって俳優活動を休んでいたが、ホン・サンス監督に「もう一度、演技がしたい」と相談したのをきっかけに『次の朝は他人』で映画復帰。その後は『自由が丘で』、『あなた自身とあなたのこと』といったホン・サンス作品を始め、数多くの映画やドラマに出演するようになった。イ・チャンドン監督の『オアシス』(02)でヴェネチア国際映画祭新人賞を受けて以来、韓国を代表する映画俳優として活躍する**ムン・ソリ**[19]は『ハハハ』、『3人のアンヌ』、『自由が丘で』に出演。のびのびとした演技でコメディエンヌとしての才能を存分に発揮した。

国際映画祭の常連であるホン・サンス作品には、海外の名優も出演している。**イザベル・**

**ユペール**は『3人のアンヌ』でタイトル通りに同じ名前を持つ3人の人物を演じ分け、映画祭出席のために訪れていたカンヌで撮影された『クレアのカメラ』では主人公を導く妖精のような謎めいた女性に扮した。以前から監督のファンであることを公言していた**加瀬亮**は『自由が丘で』で別れた恋人に会うためソウルにやってきた男を演じた。他の映画の男性キャラクター同様、よれよれのシャツ姿で出会った人たちと酒を酌み交わすが、ひょろりと痩せた体が外の世界から来た異邦人であることを感じさせた。さらに、『ヘウォンの恋愛日記』では、主人公の夢の中に**ジェーン・バーキン**が唐突に登場する。

近年のホン・サンス作品では、「老い」と共に、「若者たちへの激励」のようなものも感じられる。そんな視線の先にいるのが**シン・ソクホ**[20]、**パク・ミソ**[21]といった若い俳優たちだ。建国大学映画芸術学部でホン・サンスの教えを受けたシン・ソクホは『正しい日 間違えた日』以降、制作部のスタッフとして参加しながら出演もし、『イントロダクション』で主演を務めた。また、同じく建国大学の学生だったパク・ミソも、『イントロダクション』でデビューし、『小説家の映画』、『Walk Up』に続けて出演。『Walk Up』では、彼らふたりが上の世代の人物たちについて批評するという痛快な場面がある。『逃げた女』以降、『Walk Up』以外のすべての作品に出ているる**ハ・ソングク**[22]も含め、ホン・サンス映画の新たな常連俳優たちの成長も楽しみだ。

筆者略歴は作品論19・21・28に掲載

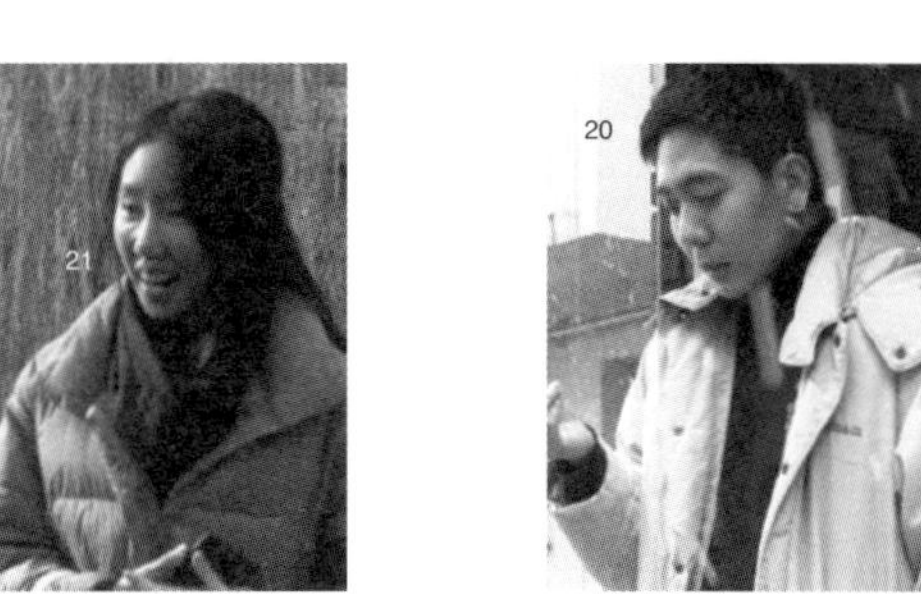

加瀬 亮 × 筒井真理子

◉

# ホン・サンスの映画術

司会・構成　小出幸子

撮影　制野善彦

ホン・サンス監督の16作目に当たる『自由が丘で』(14)で、主演を務めた加瀬亮さん。撮影時、スタッフやキャストは監督に包まれているような現場だったと語る。また、体験のみではあるが、演出のあり方も語って頂いた。監督ホン・サンスではあるが、人間ホン・サンスが浮かび上がるエピソードだった。
数々の監督たちと仕事をする筒井真理子さんも、ホン・サンス映画のファンのみならず、人柄にも心動かされる対談となった。

## 監督との徹底したコミュニケーション

——2013年頃でしたか、ホン・サンス監督の特集上映時に、加瀬亮さんがゲストで壇上に上がられて、その後、監督と話されて意気投合なさったとか。そして、それがきっかけで『自由が丘で』に主演なさることになったと、聞いたことがあります。

**加瀬**—アッバス・キアロスタミ監督『ライク・サムワン・イン・ラブ』(12)の上映で、釜山映画祭へ行きそこで取材を受けたことがあったのですが、その記事を当時、ホン監督のプロデューサーだった方が見て、ホン監督に推薦してくれたようなんです。そして、監督が日本にいらした時に対談も組んでくださり、対談の後、監督とのお話のなかで出演依頼があり、その場で条件や時期などを言われました。

**筒井**—『自由が丘で』の現場はいかがでしたか?

**加瀬**—役者でしたら間違いなく、ホン・サンス監督のことが大好きになると思います。もちろん合う合わないがあるとは思いますが、僕自身の体験で言えば、一番と言っていいくらい充実した撮影でしたので。

**筒井**—そうでしたか。噂によると、撮影当日に、台本というかセリフを下さるとか(笑)。前もって役者と緻密に

話した後、役者には見せない台本を監督が持っていると聞いたのですが、実際はどうだったのでしょうか。

**加瀬**―監督がイザベル・ユペールにお願いした時は、彼女がちょっとズルをして、前の日に台本をもらっていたと聞きました。それは、めちゃくちゃズルいなと思いました（笑）。

僕の時は、監督が朝の3時、4時に起きて台本を書き出し、7〜8時頃に台本が書き上がるので、その日撮影があるかないかは、大体7時に連絡がくる感じでした。

**筒井**―えー、連絡がないこともあるんですか？

**加瀬**―僕が台本に出てくれれば呼ばれますし、そうでなければ呼ばれません。撮影前にも準備がいろいろありまして、例えば、監督の現場は、全部、役者本人たちの私服なのです。

**筒井**―自分に馴染んだものが一番ということでしょうか。

**加瀬**―そうだと思います。ですので、撮影は全て韓国だったのですが、当時、住んでいた東京のマンションの廊下に私服を全部並べて写メし、監督に送りました。その後、監督から言われた服を持って韓国へ行き、キャストの人たちと夜に会いまして、そこから3日間位、ひたすら歓談しました。

色々な質問に答えているうちに、各々がどんな思いを抱えているのか、監督が見ているようでした。そして、その中から監督がイメージしたキャラクターを書いていく感じなのだと思いましたね。

**筒井**―なるほど。その3日間で本番に入るのですか？

**加瀬**―はい。現場で台本を渡されても、すぐに覚えられるのかという心配もありましたが、それは皆も同じなので、協力しあって練習したりしていました。

**筒井**―それは結構な作業ですね（笑）。

**加瀬**―しかも監督は一字一句、ちゃんと言ってほしい方なので。

**筒井**―すごいですね。しかも長回しで

スタイリスト 齋藤ますみ　ヘアメイク 山科美佳

**筒井真理子**（つつい・まりこ）
『淵に立つ』（16）で多数の主演女優賞受賞。『よこがお』（19）で芸術選奨映画部門文部科学大臣賞受賞。最新主演作『波紋』が２０２３年５月全国公開。

## 日常から全て続いているような
## 不思議な感覚でしたね

すから。

**加瀬**｜そうですね、ワンシーン・ワンカットです。

**筒井**｜覚えられなければ、どうなるのかしら。

**加瀬**｜ワンシーン・ワンカットだから長いですよね。大体、誰か最後の方で間違えたりするのです（笑）。

**筒井**｜撮り直しですか？

**加瀬**｜はい、その場合は最初から撮り直しです。だけど雰囲気が楽しいので、責められるとか、そういう感じは一切ないですね。

**筒井**｜でも、大変ですね。私だったら申し訳ないと思っちゃいます。

**加瀬**｜監督も最初から上手くいかないとは分かっていて、撮ったら皆でモニターを見ながら監督が仕草を加えていったり、気になったところを注意してくれたりと、そんな感じです。

――ホン監督の時制に関しては、その時に台本を渡されて混乱しないものなのですか？

**筒井**｜撮る時は順撮りですか？

**加瀬**｜最初は監督は出来上がった映画の順番で撮影していくことを構想していたのですが、やり方が良くなかったとのことで、最初の日の撮りを全部捨てて、結局は順番通りに撮影しました。僕が撮影を終えて韓国から帰る前に、順番通りにつないだラッシュを見せてもらったのですが、シーンシーンとしては面白いのですが、何か物足りないと感じました。で、そんな感想を監督に伝えましたら、「そりゃそうだよ、まだ映画になってないから」とおっしゃっていました。

出来上がった映画を観たら、順番がバラバラな構成になっていて、さらに映画としても面白く完成していて驚きました。

**筒井**｜その辺は、監督の頭の中を覗いてみたいですね。

## 監督は正直にさらけ出す人

**筒井**｜私は結構、ホン監督作を観ているつもりですが、『ソニはご機嫌ななめ』（13）で、映像がたまらなくて（笑）。狙いなのでしょうけれど、ボワンとした映像で、不思議なパンとズームですごく豊かな時間だったなって感じました。『自由が丘で』もそうなのですが、普通だったら画のど真ん中に人を持ってこないじゃないですか。それをあえてして、日常から全て続いているような、不思議な感覚でしたね。

**加瀬**—ホン監督はその作品がおかしいところもあるので誤解されている部分もあるかもしれませんが、元々は、お坊さんになりたかった人というか、僧侶になりたかった人だと聞きました。日常をより良く生きていくには、ということを普段から真面目に考えている方だと思います。モンテーニュのエセーだったり、ソクラテスやエピクロスなど、そういう哲学書も好きだった記憶がありますね。監督はモンテーニュのエセーの最初、「読者に」に書いてあるように、正直に自分が感じたことを書き留めるようにしていつも映画を作られているのだと感じます。自身の体験や経験を通して信じられるものを探っているといいますか。『それから』(17)で、キム・ミニさんとクォン・ヘヨさんが、食事処で会話をする長いシーンがあって、その中でキム・ミニさんが生きている理由は?と質問を振るところがありますよね?

——信仰の話がありましたね。

**加瀬**—ああいう対話は、ホン監督の映画によく出てくるのですが、あの時、キム・ミニさんが、信じていることを3つ言うのです。キム・ミニさんから出てきたのか、監督から出てきた言葉なのかは僕は分からないのですが、ああいうことをしっかり考えている人という印象がありますね。

**筒井**—はい。あの3つよく憶えています。作品の中で必ず、これがホン監督なのだというセリフがあるじゃないですか。『夜の浜辺でひとり』(17)は、映画監督はご自身なのだろうな、と。ここの辺りは、ご自身をさらけ出したのではと思いますね。実は、さらけ出した方が痛いし、また残るし、それが余計いいなと思ったりします。

**加瀬**—正直にさらけ出しているから、笑ってしまうところも時々ありますね。監督は一緒に時間を過ごした印象からしても、とても正直な方だと思います。

## 現場は皆んなが包まれている感じ

**加瀬**—1本目(『豚が井戸の落ちた日』)は商業映画ですよね。つまり1本目だけ、人のお金で撮っています。

これは想像ですけれど、多分、いろいろ苦い思いをしたのかと思います。デビュー作としてすごく評価された映画ですが、同時に撮影でたくさん自由が効かないこともあったのかと。その後は、自己資本で自主映画としてずっ

スタイリスト：エドストローム淑子　ヘアメイク：SADA ITO

# 正直にさらけ出しているから笑ってしまうところも時々ありますね

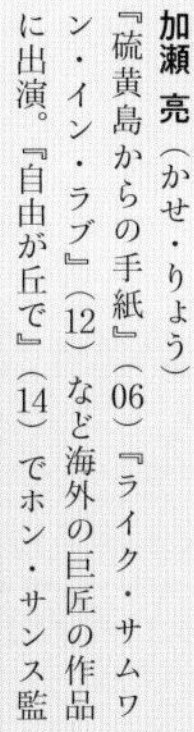
**加瀬 亮**（かせ・りょう）
『硫黄島からの手紙』（06）『ライク・サムワン・イン・ラブ』（12）など海外の巨匠の作品に出演。『自由が丘で』（14）でホン・サンス監督と組んだ。最新作『首』は２０２３年秋公開。

とやってらっしゃいますよね。そういうところもとてもいいですね。やはり作家なので自身が思ったようにやりたいですよね。

**筒井**｜そういう決まったセオリーは嫌いで、最近は撮影もやっていらっしゃいますものね。

自由が丘で 

**加瀬**｜ある写真家が、ホン・サンスの画作りが下手だと言ったことがあるらしいのですが、監督は美大で博士号まで取っている方です、なのでもしそうだとするならそれはあえてだと思います。人が普通に綺麗だなと思う画というのは、今まで見たことのあるフレーミングの場合が多いです。そういう既成のものじゃないところで自分独自の画を探したのだと思います。

**筒井**｜それが中毒になるって、どういうことなのか不思議で。でも、いつも見るような構図ではないものだったりするのは分かります。

そういえば、もともとホン監督は、実験映画から出発なのですよね。

**加瀬**｜大学の頃はそうだったようですね。監督に聞いたら、ひたすら工場を撮ったりしてた、と言っていたように記憶しています。

**筒井**｜決まった構図じゃないところでドキッとするし、それは、今まで見慣れたものじゃないからなのですが、違和感があって不思議なものを見せられ

夜の浜辺でひとり

ている気がします。なのに、気持ち良くて、次はどうなるのだろうって、次作を観ないではいられないですよね。それは、一体、何なのでしょう。

**加瀬**―自分自身の感覚にすごく正直なんだと思います。「本当」だと自身が感じる要素で映画を作っている気がします。

さっきの衣裳ひとつを取ってもそうで、ホン監督の作品を観ると、どれもキャラクターの個性が立っていますよね、衣裳さんが選んだ洋服より本人の私服のほうがその人の良さがある、そっちのほうが好き、という判断ですよね。

ホン作品は大部分がロケなのですが、監督はそのお店や部屋などを借りるお願いをする際にも、撮影までに物を片付けたり動かしたりしないでほしいと必ずお願いするそうなんです。いまのそのままの雰囲気が気にいったからロケ地を借りるわけで、もし物を動かしてしまったら場所の雰囲気はまた変わってしまいますよね？　ホン監督は、そういう自身が感じた小さな機微を大事にしながら、そういう自分が本当だと思えるものを積み重ねて映画をつくってる気がしますね。

ソニはご機嫌ななめ　© 2013 Jeonwonsa Film Co. All Rights Reserved

**筒井**―実は、そういう雰囲気も空気もすべて映りますよね。そういう本当だと思える場所・空間にいられることは役者として幸せですね。

**加瀬**―例えば撮影が夜中になることもあるじゃないですか。それでも、監督は、必ずその日のシーンの分のナレーションはその日に録音します。それは、翌日になったら人はもう声が違うからです。

**筒井**―確かに声は違ってきますね。

**加瀬**―昔はアフレコで、撮影が終わってから声を入れたこともあったようなんですけど、それでは全然ダメだと気が付いた。どんなに都合が悪くても、撮影期間内にやらないとダメだ、と。

それは役者ならみんなそう思っていると思うのですが、そういうところに気を配っている監督は初めてだったので驚きました。演技がＯＫかそうでないかも、監督は、よく信じられるか信じられないかという言い方をしていましたね。

**筒井**｜それはとても大切なことですよね。

**加瀬**｜現場は、とてもあったかい雰囲気ですし、共演者スタッフ全員が信頼し合っている、どちらかと言えば包まれているような雰囲気なので、役者はとても演技しやすいと思います。それぞれから自然と立ち上がるものを監督も捉えたいと思っていると思いますし。

**筒井**｜嬉しいですよね、役者としたら。そういうところを切り取ってくれるので。

## 何が起こるか見てみようという姿勢

――作風が、初期の頃から変わって来ていると言われます。初期の男性は何というか浮気ばかりしているダメな男と…。近作では女性が主人公な作品が多く、そのあり様が目立つと思います。

**加瀬**｜先ほどもいいましたが、ホン監督は、より良く生きるにはどうしたらいいかと、そういうことを考えてきたのだと思います。そして自分自身のことをダメな部分も含めて正確に見つめない限りは本当の成長もないだろうということを思って、正直に描いてきたのではないかと思います。

近作については、自身のことよりも、女性の内面に今、興味がシフトしているのかもしれないですね。

新作の『小説家の映画』（22）を観てそう思いました。

**筒井**｜イ・ヘヨンさんは、『あなたの顔の前に』（21）では、凛とした佇まいがとても素敵でしたし、『小説家の映画』では、ちょっと偏屈で一癖ある小説家の感じが実在する人物のようで忘れられないです。

**加瀬**｜すごく良かったですね。

監督は、スタートの号令の前に「Let's see what happen」と言うことがよくあるのですが、何が起こるか見てみよう、という姿勢でスタートすることで役者は変な緊張や余計な作為から逃れて、なにか楽しい遊びのような感覚になってきますよね。

渡されたセリフを、今、筒井さんと言い合ったら、いったいどうなるのだろう？　何が起こるのだろう？　みたいな。

**筒井**─それ、一番楽しいですよね。理想をいえば、シーンを全部忘れて、その前のシーンは必要だけど、どうなっていくのかというのが一番楽しいと思う。それをやらせてくれればね。でも10ページの壁はありますけど（笑）。舞台もね、演出家とか皆が千秋楽は普通にやろうと言うのです。千秋楽と思わないで、と。

**加瀬**─当たり前ですけど、人に見られてカメラの前でいろんなことをするので、見られる意識を完全に外すのは難しいですよね。見られていれば、逆に当然見せたくないところも生まれるわけですし。だから根本のところで信頼感とか、包まれている感覚とかが必要になってくると思うのですが、そういう現場は意外にも少ないですよね。役者はどこか監督やスタッフから愛されていると感じなければ、本当に自然にはさらけ出せないものですよね。もし、そういう雰囲気ではない場所で何かしないといけない場合は、どうしても力が入ったり嘘が多くなったり、無理しなくてはいけないモードになるわけです。そしてそれはホン監督作品のように自然に湧き出てくるものとは違うので、画面に映るものもまた違うものになってきますよね。

2023年4月12日
サイバーメディアTV
上野・御徒町スタジオ

# 作品論 1

1996-2008

**作品論01**　豚が井戸に落ちた日

# 理想にすがる人々がおりなす空疎な生の劇

遠山純生

**豚が井戸に落ちた日**　韓国／１９９６年／カラー／１１５分
돼지가 우물에 빠진 날　The Day a Pig Fell Into the Well
監督 ホン・サンス　原作 ク・ヒョソ「見慣れない夏」　脚色 ホン・サンス、チョン・デソン、ヨ・ヘヨン、キム・アラ、ソ・シネ　撮影 チョ・ドングァン　編集 パク・コクチ　音楽 オク・キルソン　出演 キム・ウィソン、イ・ウンギョン、パク・チンソン、チョ・ウンスク、ソン・ミンソク
第15回バンクーバー国際映画祭 ドラゴン&タイガー賞
第26回ロッテルダム国際映画祭 タイガー賞
日本公開１９９７年6月21日　配給 パンドラ
貧乏文士ヒョソブ（キム・ウィソン）、ヒョソブと浮気するボギョン（イ・ウンギョン）、ボギョンの夫で潔癖症のドンウ（パク・チンソン）、映画館で働く清純なミンジェ（チョ・ウンスク）と正義漢ミンス（ソン・ミンソク）。——社会や夫婦、恋人との関係に苦しむ男女が不確かな現実を受け入れられず、希望のない夢に逃避し、絶望に突き落とされる群像劇。

写真提供　川喜多記念映画文化財団

主要登場人物は五人いる。まず、貧乏三文文士ヒョソプ。彼は映画館の切符売り場で働く一回り歳下のミンジェと二年越しの交際を続けながら、他方で既婚女性ボギョンとの不倫に夢中になっている。ボギョンはといえば、この冴えない小説家との火遊びを続けるために、潔癖症の夫ドンウと寝ることを慎重に避けている。その結果不安を覚え始めたドンウは、出張中に宿に売春婦を呼んで、衝動的に性交してしまう。ロマンティストのミンジェは、ヒョソプのことを尊敬しつつ深く愛してもいるが、小説家の方はこの若い娘との関係を真剣にとらえていない。ヒョソプの誕生日に彼の家を予告なしに訪れたミンジェは、ボギョンと鉢合わせし、小説家の本音を知ることになる。失意のミンジェに、以前から彼女に思慕を寄せていた同僚のミンスが取り入る。——

上記の主要登場人物五人をめぐる四通りの関係性は、劇中で順繰りに描き出される。つまりヒョソプ＋ミンジェ、ヒョソプ＋ボギョン、ドンウ＋ボギョン、ミンジェ＋ミンスの四通りである。この四つの断片は、物語的なうねりを産み出すことなく一個の構造を形成する。断片的な挿話同士を組み合わせる感覚は、映画的叙述のあり方にも反響している。たとえば、空間的連続性をある程度無視した、失見当識めいた画面つなぎ。ここではたいてい、場面の切り替わりがある場所からほかの場所への説明抜きのジャンプと化しているし、会話場面においては人物同士の位置関係を示す全景ショットが省かれることもしばしばだ。こうした特性は、事前の計画抜きで撮影時に画の割り方を決めることが常態化しているだけでなく、いくつかの断片的発想に基づいて映画を形成していく創作法を採り、現場でせりふを書くことも多いというホン・サンスのやり方に由来するものだろう。だから、時空のつながりをさして気に留めない態度と、バラバラの挿話同士をかろうじてつなぎ留める筋の構築法は明らかに相関関係にある。

場面間を合図抜きで飛躍させるやり方は、薬剤師の友人宅を訪れたボギョンを描くくだりで最も顕著になる。ここでは薬局の奥にある部屋で勉強机に向かう薬剤師の幼い息子の傍らにいるボギョンをとらえた画に、唐突に彼女の遺影が連結されるのだ。つまりボギョンの葬式の場面へと転換するわけであるが、ドンウと薬剤師が喪主を務めるこの葬式に、どういうわけかヒョソプとミンジェが訪れる。さらに奇妙なことに、ヒョソプがボギョンの遺体が安置されている部屋に入ると、布団のなかに横たわった彼女がうっすら目を開け、不倫相手が同衾して自分の胸を撫で回すがままにさせる……もちろんこれは、友人の家でうたた寝をしてしまったボギョンの見た夢である。出張したドンウが、取引先の女社長を何度訪れてもその度に約束の時間をすっぽかされて、ついには日帰りの予定を延ばしてホテルで一泊するはめになるくだり同様、ブニュエル映画からの反響が窺われるくだりだ。ボギョンの動揺した心理が夢のかたちであらわされていると同時に、これは主要登場人物四人が一堂に会する唯一のシークエンスでもある。ところが皮肉なことに、このときすでに、よりを戻したヒョソプとミンジェは嫉妬に駆られたミンスに刺殺されている。

主要登場人物は全員、純粋・清潔・健全を理想とするある種の完璧主義に囚われている。そうした彼らのあり方を集約した存在が、細菌恐怖症のドンウだ。ところがどうやら自分の潔癖症を克服する目的もあって売春婦を宿に呼んだ彼は、やがて自身の性病感染を疑い始め、泌尿器科に通院する姿を偶然妻に目撃されてしまう。理想に囚われることが否認できない現実との対峙を呼び込んでしまう滑稽さ、あるいは現実と理想の食い違いは、登場人物五人の感情的行き違いに重ねられている。実際彼らは、みな理想という名の幻想の囚人であるかのように、混じりけのなさを時に自覚しないまま尊重している。たとえば、ヒョソプの自作は『健康に良い水と健康美』と題されている(一方、ドンウはミネラルウォーター販売会社のセールスマンだ）。あるいは、ボギョンとの関係をミンジュに知られたヒョソプは、身勝手に激昂して「（俺の誕生日を祝うことが）無垢で純粋なおこないだと思っているようだが、純粋であることと大人げなさの区別ができないのか？」と彼女を罵倒する。彼はボギョンと結ばれることを究極の理想としているのである。また、ミンスは口説き文句のつもりか、ミンジュに「純粋さが受け入れられなかったらどうしたらいいんだ」と言う。さらに妻の浮気を密かに疑っていたらしいドンウは、それが思い違いだったと気づいて（実際にはそう勘違いして）「きみは本当に純粋な人だ」と言いながら嫌がる妻と無理矢理性交する。

こうした描写は、思春期に絶対的な真実や完璧な世界や無条件の純粋性といった理想に拘泥し、現実がこうした美しき理想に収斂していかないことに苦しんでいたホン・サンスの記憶に由来するものだ。若き日の映画作家の苦悩は、出版社の編集者がヒョソプに語って聞かせる、構想中の小説の内容にも集約されているだろう。それは、イデオロギーの崩壊と共に瓦解した現代人の夢や理想を、みずからの理想が現実に見合っていないデモ参加者たちを通じて描く、というものである。

この映画の登場人物たちも、みな理想と現実との摩擦に巧く対処できず、理想に潜む虚偽に気づくことなく、人生と折り合いをつけることに失敗する。彼らの苦悩に潜む虚しさは、愛人を喪ったことに気づかないまま茫洋と窓外を見やるボギョンの姿をとらえた最後の宙ぶらりん状態の画に体現されているかのようだ。

**遠山純生**（とおやま・すみお）
1969年生まれ。映画評論家。『〈アメリカ映画史〉再構築 社会派ドキュメンタリーからブロックバスターまで』で芸術選奨新人賞。訳書に『サミュエル・フラー自伝』ほか。

**作品論02**　カンウォンドのチカラ

# 非ドゥルーズ的な反復と差異

伊藤洋司

**カンウォンドのチカラ**　韓国／1998年／カラー／109分
（『カンウォンドの恋』の異題あり）
강원도의 힘　The Power of Kangwon Province
監督・脚本 ホン・サンス　撮影 キム・ヨンチョル　編集 ハム・ソンウォン　音楽 ウォン・イル　出演 オ・ユノン、ペク・チョンハク、キム・ユソク、チョン・ジェヒョン
第3回 釜山国際映画祭 NETPAC賞
日本公開 2021年6月12日　配給 A PEOPLE CINEMA

女子大生のジスク（オ・ユノン）は、風光明媚な江原道（カンウォンド）へ女友だちと旅行に行き、妻のいる警察官（キム・ユソク）と酒を飲んで、泥酔して介抱される。やがてジスクは彼に会うため、一人この観光地を再訪するが、旅行前に別れた妻子ある大学教師サングォン（ペク・チョンハク）も友人連れで偶然来ており、ある悲劇的事件を機に奇妙なすれ違いを重ねる。

ホン・サンスは『カンウォンドのチカラ』において、二部形式の物語という独自の語りの形式を発見する。また同時に、男性教師と女子学生の恋愛や旅先での異性との関係、飲酒による酩酊といった、ホン・サンスの基本的なモチーフが早くもほぼ出揃うことになる。勿論、ホン・サンスは作品ごとに異なる試みを行なうだけでなく、作品世界自体も徐々に変化していく。だからある時期以降の彼の映画を論じるには、もっと別の視点が必要になるだろう。だが、ホン・サンスの少なくとも初期の映画世界は、この長篇によって確立されたと言えるだろう。

映画の前半では、女子学生のジスクが江原道（カンウォンド）へ旅行に行く。後半では、大学講師のサングォンが江原道へ旅行に行く。サングォンは妻子持ちで、ジスクと不倫していたが、別れたばかりだ。心に傷を抱えての、同じ日の同じ場所への旅。二人は同じ電車に乗るが互いに気づかず、旅先でも出会わない。二人とも同性の友人と出かけ、同じ人々とすれ違う。それぞれ異性に出会って、一緒に酒を飲んで酔っ払い、性的な関係を結ぶ。だが、いずれも永続的なものではなく、失意のうちに帰還する。

映画の前半と後半で様々な出来事が反復する。だが、全く同じ出来事が反復される訳でもない。例えば、ジスクは二人の友人と一緒に旅行し、サングォンは後輩と二人で旅行する。旅先でジスクが経験するのは警察官との行きずりの恋だが、サングォンは金を払って娼婦と寝る。何かが反復すると、反復される事柄の間の差異も際立ってくる。こうして、二部形式の物語は反復と差異の遊戯のような様相を呈する。反復と差異というと、ドゥルーズの『差異と反復』が思い出されるだろう。だが、ドゥルーズはこの書物で潜在性における差異と反復を探求するのに対して、ホン・サンスがこだわるのはあくまで表象における反復と差異だ。この映画が描く差異も表象の同一性に従属し、そこから派生するものである。

映画の形式が極めて理知的な一方で、内容は人間の卑俗さを真正面から取り上げている。サングォンは大学講師なのに知的な会話を好む訳でもなく、妻子がいながら女子学生と不倫をすることに何の道徳的葛藤も抱いていないようだ。大学の教師たちの酒席でも、話題になるのは酒と性行為の関係である。映画は理性ではなくこうした卑俗さに人間の本性を見出しているようだ。「私っていつも過ちばかり」と言う女子学生のジスクは、過ちと自覚している分だけ、サングォンよりもまだ道徳意識を持っていると言えそうだ。だが、ここでは彼女の台詞が示す過ちの反復に注目したい。この反復は映画の二部形式が描くふたつの旅行の間の反復ではなく、彼女自身の行動の反復だ。ジスクは大学講師と警察官というかなり年上の既婚男性との性交渉を繰り返す。これは彼女自身の恋愛の傾向に関わるようだ。そのため、この反復は表象の結果における反復としてだけでなく、表象の同一性から解放されていない点では同じだとはいえ、内的な原因における反復としても捉えなければ、十分に理解できないように見える。ではここにこそ、この映画の秘かな鍵があるのだろうか。

だが、これは罠だ。映画のラストがそうした解釈を宙吊りにする。ラストでサングォンは一匹の金魚を見つめる。旅行の前に譲り受けた二匹の金魚のうち一匹がいなくなっているのだ。一方、ジスクは江原道の森の道で、何故か金魚が一匹落ちているのを見つけていた。もしかしたらあの金魚は行方不明になったサングォンの金魚だったのだろうか。しかし、一体どうしたらそんなことが起こりうるのだろうか。

このラストで、全てが不確実さのもとにあることが示される。ファーストショットでは、ジスクが江原道へ向かう混んだ列車の通路に立っていた。後半で、まさにその時のジスクが異なる角度から再び示される時、彼女の背中にぶつかった男性が、彼女が別れたばかりの不倫相手の後輩だったことを、観客は知る。その時、観客は登場人物たちが知らないことを知り、この知識の相対的な多さから、まるで物語の全貌を知っているように感じ始める。映画のラストはその誤った認識を崩してしまうのだ。事実、映画はある男があたかも江原道で連れの女を殺したかのように描いているが、女の転落死の真相は分からない。その男を犯人だと通報したのはサングォンだが、彼は事件の現場など見ておらず、憶測で通報しただけだ。しかも、江原道の山には一歩足を滑らせただけで転落死するようなところもあり、観光客がそんな場所を歩く場面もある。確かに、連れの女が死んだのに一人でそっと帰るこの男はかなり怪しい。だが、二人が不倫旅行をしていて、そのことを隠さねばならなかったという可能性も否定できない。

こうして観客は原因を探ることを拒絶され、画面という表象のレベルでの反復と差異の遊戯に連れ戻される。そうなると、観客はサングォンとジスクについても何も確実な判断を下せないことに気づく。一部の観客はサングォンの行動を不快に感じるだろう。だが、映画は二人の関係のほんの一部しか見せていない。その関係が実際にはどんなものだったのか、確かなことはほとんど分からない。観客はあれこれと想像をめぐらすことしかできないのだ。画面を観て物語を理解する行為にまつわるこの不確実性は、ホン・サンスの映画の根幹に関わるものである。

**伊藤洋司**（いとう・ようじ）
1969年生まれ。中央大学教授。パリ第3大学文学博士。著書に『映画時評集成2004-2016』。共著に『青山真治クロニクルズ』『レオス・カラックス　映画を彷徨う人』など。

作品論03　オー！スジョン

# 思い通りにならないのが人生

児玉美月

**オー！スジョン**　韓国／2000年／モノクロ／126分
（『秘花　スジョンの愛』の異題あり）
오! 수정　Virgin Stripped Bare by Her Bachelors
監督・脚本 ホン・サンス　撮影 チェ・ヨンチェク　編集 ハム・ソンウォン　音楽 オク・キルソン　出演 チョン・ボソク、イ・ウンジュ、ムン・ソングン、イ・ファンウィ
第13回 東京国際映画祭 審査員特別賞
日本公開 2003年1月25日　配給 コムストック、2021年6月12日配給 A PEOPLE CINEMA
テレビ番組の女性作家スジョン（イ・ウンジュ）は、恋心のある先輩演出家ヨンス（ムン・ソングン）と共に、画廊主ジェフン（チョン・ボソク）を尋ねる。ジェフンがスジョンに言い寄り、酒席だけ恋人になる約束を二人は交わすが彼女はヴァージンであり、肉体関係を結ぶには互いの感情にずれがある。同じ状況が反復されるなか、男女の距離が見えてくる一作。

性体験がないという女と出逢った男が執拗に迫り、ふたりが結ばれるまで。『オー！スジョン』の骨子となる物語を抽出するとそのようにきわめて単純になってしまうが、その構造は複雑さを帯びている。「一日中待つ」と題されたプロローグ、「もしかしたら偶然」と題された第一部、「もしかしたら意図的に」と題された第二部、第一部と第二部を接合する「宙吊りのケーブルカー」、「パートナーさえ見つかれば万事思い通り」と題されたエピローグからなるのがこの映画だとひとまずいえるだろう。1から7まで番号を振られた断章形式で同じ物語が二度繰り返される第一部と第二部の視点は、それぞれジェフンとスジョンに割り当てられるかもしれないが、それも明らかではない。作家であるスジョンの仕事仲間であるディレクターのヨンスが訪れた画廊を経営するジェフンと三人で昼食を取った別の日にジェフンとスジョンが公園で再会する場面で、ふたりは記憶について言及する。「私記憶力がいいから」「僕も記憶力はいいんです」――。この会話は、『オー！スジョン』の構造自体にも関わるものだろう。プロローグの「一日中待つ」では、ホテルの一室でひとりスジョンを待つジェフンが電話で体調が悪いから約束は反故にしたいと求められ、どうしてもと食い下がり、彼女を呼び寄せる。第一部が開始されるやそこから時間軸が巻き戻り、そうしたふたりの出会いから描かれてゆくために、これはジェフンとスジョンのそれぞれの回想、つまり記憶を辿る物語とも捉えられる。第一部と第二部では同じ時間軸に起きた同じ出来事が描かれてゆくが、そこには多少の差異が生じており、綺麗には重なり合わない。それはひとつの出来事の解釈がそれぞれ異なるからかもしれず、あるいは操作された時間軸を考えればたんに記憶違いともいえるかもしれない。ふたりの記憶についての台詞はジェフンが映画の終盤、情事のさなかにスジョンの名前をほかの女の名前に言い間違える描写と繋がっており、ジェフンは自負していた記憶力の良さをそこで裏切ってしまう。つまりその展開は、ジェフンがその時点で「信頼できない語り手」であると証立ててもいる。

第一部の「意図」と第二部の「偶然」をとりわけ象徴するのがスジョンとジェフンの手袋を介した再会だが、第一部では撮影に来ていたスジョンはベンチで拾ったという手袋を最初から手にしており、それに気づいたジェフンが自分のだとスジョンから受け取る。一方、その場面が描かれる第二部の「2」は第一部ではなかった車内の場面から開始され、そもそもジェフンが昼食で訪れていると知ったスジョンの提案によってその公園が撮影場所にされたと明かされる。そこではスジョンの手に最初から手袋はなく、落とし物の手袋がふたりを引き合わせたという偶然性は、スジョンによる計画性に取って代わられた。こうして第一部に鏤(ちりば)められた「偶然」は、第二部で幾つも「意図」に塗り替えられてゆく。したがって第一部で控え目で受動的にも見えたスジョンは、第二部では彼女の主体性が強まっているような印象を与える。それだけでなく、第一部では秘匿されていた第二部でのヨンスとの不倫や兄（イ・ファンウィ）との近親相姦的行為は、ジェフンのスジョンへの「処女崇拝」を内破させてもいる。そのほかにも第一部の「3」でスジョンとヨンスとジェフンの三人の食事のあと、ジェフンは方向が違うからと遠慮するスジョンを強引に送っていくからとタクシーに乗せるが、第二部の「3」ではスジョンはジェフンにいざなわれてすんなりと乗り込む。第一部の「2」で居酒屋のあとジェフンが「面白いものを見せるから」と路地裏にスジョンを誘導し、ジェフンが不意にスジョンをきつく抱きしめ口づけをして突き飛ばされる描写は、第二部では欠如している。もしくはそれは第二部の「4」でヨンスがスジョンにやはり「面白いものを見せるから」と同じ口説き文句で部屋にスジョンを連れ込み服を脱がせてスジョンに性暴力を嗜められる描写に代替されているといってもいいかもしれない。第一部は適切なプロセスを経由して性行為の同意を取ることもできず、自らの失態で傷つけたにもかかわらず被害者身振りで相手に自分が悪かったと言わせるジェフンの有害な男性性が強調され、「思い通りにならないのが人生」だと嘯く彼の焦燥感や葛藤を反映させたかのように現実が歪曲される。だからこそスジョンの強かさが流露される第二部が第一部に続く構成は、戦略的であろう。その意味で『オー!スジョン』は性差に関する探究の映画でもある。

第一部と第二部において差異の数々を経ながらも、行き着く結末はただひとつである。ホテルでようやく結ばれたふたりの身体が、窓際で寄り添う。望みを果たした男の満足げな表情はカメラを背にしているために全貌が窺えず、スジョンのまなざしは虚空を指す。停車したケーブルカーや恋人たちが立つ、いつ割れるかもわからない湖の氷といった情景が宙吊りの感覚や不安定さを繋留させていたこの映画のこうした着地は、なにを語っているのか。差異はたんに異なる人物における視点の違いや記憶の違いのもとに帰結させられうるのだろうか——。偶然は意図を含み込み、同時に意図は偶然を含み込んでいる。「偶然」と「意図」は決して完全に分化できず、人間の手中にはおさまらない。これは偶然と必然のうえをぐらぐらと彷徨しながら「思い通りにならない」人生を生きるホン・サンス流の男女の肖像画である。

**児玉美月**（こだま・みづき）
映画批評家。共著に『反＝恋愛映画論』『「百合映画」完全ガイド』。「キネマ旬報」の星取表、「映画芸術」の座談会に毎号参加しているほか、「文學界」「ユリイカ」などの雑誌に執筆。

作品論04　気まぐれな唇

# 性的同意、あるいは「愛している」という言葉についての考察と蛇足

狗飼恭子

**気まぐれな唇**　韓国／2002年／カラー／115分
생활의 발견」　On the Occasion of Remembering the Turning Gate
監督・脚本 ホン・サンス　撮影 チェ・ヨンテク　音楽 ウォン・イル　編集 ハム・ソンウォン　出演 キム・サンギョン、イェ・ジウォン、チュ・サンミ、キム・ハクソン
第12回ブリスベン国際映画祭 国際批評家連盟賞
日本公開 2004年1月31日　配給 ビターズ・エンド
舞台俳優のギョンス（キム・サンギョン）は、映画で売れ始めた矢先に撮影予定の新作を降ろされ、春川（チュンチョン）に住む学生時代の先輩ソンウ（キム・ハクソン）を訪ねる。ソンウが慕う女性ダンサー、ミョンスク（イェ・ジウォン）とギョンスは一夜を共にするが、本気で付き合う気はなく、逃げるように乗った電車で、大学教授の妻ソニョン（チュ・サンミ）と知り合う。

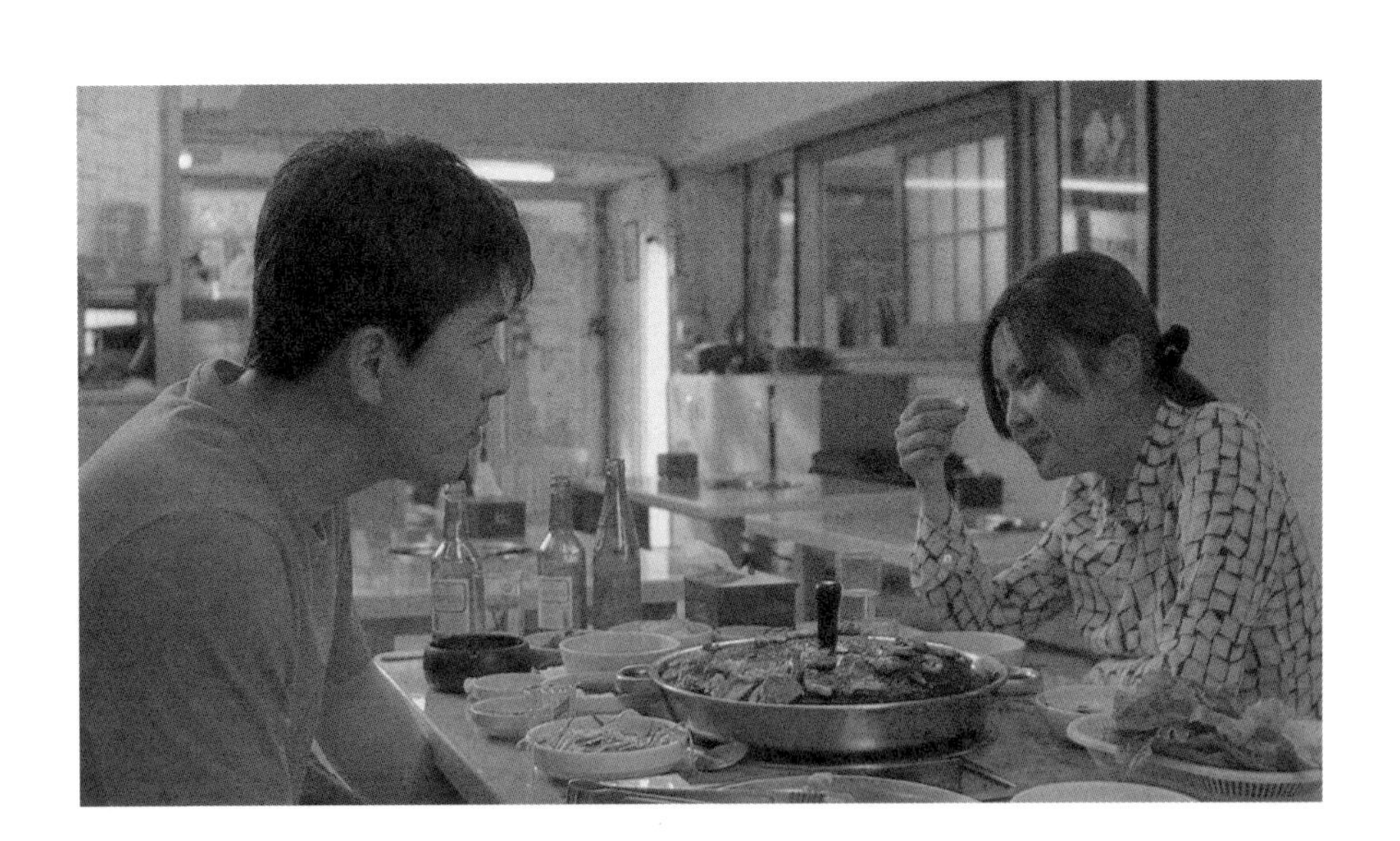

激しい雨が降りしきる中、傘をさした男が歩いてくる。後姿。夜。アスファルトに広がる水たまりには街のネオンが映っている。立ち止まり、少し身をすぼめる。カチッと音がする。煙草に火をつけたのだ。そのまま男は振り返らず雨の中を遠ざかっていく。

このオープニングを見た誰もが思うだろう。ああ、この映画は面白いに違いない。

昨今、性的同意の重要性が高まっている。多くの人が「どうやって同意をとるべきか」と悩んでいるらしいが、そんなの、ホン・サンス映画を観れば分かるじゃないの、と思ってしまう。「セックスしませんか」「はいいいですよ」だけが性的同意ではもちろんない（「いいえしません」はどんな状況であれ絶対に不同意であるということは念のため明記しておく）。

２００２年公開の映画『気まぐれな唇』は７つのチャプター（1．ギョンスがソンウから電話をもらう　2．ギョンスが制作会社へ行き監督と口ゲンカする　3．ミョンスクがギョンスに愛してると言う　4．ギョンスがソンウを一日中待つ　5．ギョンスが列車の中でソニョンに会う　6．ギョンスがようやくソニョンに気づく　7．ギョンスが回転門のヘビを思い出す）に分かれており、その中で主人公ギョンスは二人の女性と寝る。

一人目の女性はダンサーのミョンスク。ミョンスクはチャプター3で、こんな言葉でギョンスに「性的同意」を求める。

「仲良くなるためにチューしましょうか」「あなたが来て嬉しかった」「お祈りもしたんです。あなたに会えますようにって」「表情がすごくいいわ」それでも煮え切らないギョンスにこう畳みかける。

「嘘はつかないことにしましょう」

それを聞いて、ギョンスはようやくネオンがぎらぎら光るラブホテルへ歩き出す。

一方チャプター6ではギョンスが、大学教授の妻ソニョンから同意をとろうとする。

「2人きりになりたいです」「絶対に手を出しません。それならいいですね?」

ソニョンがホテルを指名し、ソニョンが部屋代を払い鍵を取りエレベーターに向かって先に歩いていく。エレベーターからベッドに至るまでの間に何があったのかは描かれていないので想像するしかないが、ギョンスは、服を脱がせていいか、気持ちいいか、強いのが好きか弱いのが好きか回転させるのはどうか、などといちいち確認しまくる男なのである。きっと何かしらの同意をとったつもりであろうと推測される。それでもソニョンは、ギョンスに裸で組み敷かれながら言う。

「嘘をついたのねギョンスさん」

ぎょっとする台詞である。ソニョンは本当にギョンスが「絶対に手を出さない」と思っていたかもしれなくて、性的同意においては行動よりも言葉が力を持つのだということに気づかせられる。

後日、ギョンスとソニョンは再びホテルへ行く。そこでギョンスはソニョンにこう言う。

「セックスしないで綺麗なまま一緒に死ねたらいいのに」

これにもまたぎょっとする。だって2人はもうすでに二回寝ている(最初の日に朝もした)。今までの二回は、ギョンスにとって何だったのか。不同意/同意どころか、セックスですらなかったのか。

物語の中にはギョンスが読んでいる本がたびたび登場する。反戦平和主義を唱えたスコット・ニアリングの自叙伝だ。飲み屋で絡まれても飄々とかわすギョンスは戦いを嫌う人間である。夫帯者であるソニョンを愛すること(=セックス)は、諍いに繋がる道だと気づき、なかったことにしたくなったのかもしれない。

でももう手遅れだ。ギョンスはソニョンに「愛している」という言葉を何度も繰り返す。ミョンスクが何度「愛していると言って」と懇願しても絶対に言わなかったのに。

と、そこでふとチャプター3を思い出す。

ミョンスクには「愛している」という台詞がない。ただただ「愛していると言って」とギョンスに懇願するのみだ。なのになぜホン・サンスは「ミョンスクがギョンスに愛していると言う」なんてタイトルをつけたのか――ここに、すべての答えが隠されているような気がしてならない。

「愛している」は体で伝えられるが、性的同意は言葉で伝えなきゃいけない――たとえば、そんなことかもしれない。

ラストシーン。ギョンスはまた雨に降られる。昼間。今度は傘を持っていない。田舎町だからソウルのようなネオンもない。

『気まぐれな唇』の韓国タイトルは「生活の発見」である。とすると、ラストでギョンスは何を発見したのか。ギョンスの何とも言い難い表情（表情がいいわ、と思わずつぶやきそうになる）で歩き去るのを見ながら、考えずにはいられない。オープニングと対になる素晴らしいシーンである。

そして、最後に蛇足として。

この映画の英語タイトルは『On the Occasion of Remembering the Turning Gate』であった。その言葉通りギョンスは何度も引き返す。春川（チュンチョン）の名観光地の前でも、ソニョンの家の前でも、ようやく見つけた愛の前でも。

**狗飼恭子**（いぬかい・きょうこ）
作家。脚本家。恋愛をテーマにした創作で知られ、近刊に『一緒に絶望いたしましょうか』、最新の映画脚本に『エゴイスト』がある。幻冬舎ウェブサイトでエッセイ「愛の病」を連載中。

作品論05　女は男の未来だ

# ホン・サンス／ボン・サンスの方法序説

荻野洋一

**女は男の未来だ**　韓国・フランス／2004年／カラー／88分
여자는 남자의 미래다　Woman is the Future of Man
監督・脚本 ホン・サンス　撮影 キム・ヒョング　音楽 チョン・ヨンジン
編集 ハム・ソンウォン　出演 ユ・ジテ、キム・テウ、ソン・ヒョナ
日本公開 2005年10月29日　配給 ビターズ・エンド
大学の美術講師ムノ（ユ・ジテ）とアメリカ帰りの映画監督ホンジュン（キム・テウ）は学生時代以来久々に再会し、昼間から酔いしれるうち、二人が当時付き合った女性ソナ（ソン・ヒョナ）の話題になる。酔った勢いで彼らが新雪の舞うソウルから富川（プチョン）に行き、ソナと終日過ごすなか、男同士のライバル意識や男女の恋情の違い、一貫性を持たない人間存在の滑稽さが露わになる。

写真提供　FINECUT

ホン・サンスの映画を旅、飲酒、情事の映画と定義するなら、『女は男の未来だ』は典型的なホン映画だ。鄭銀淑（チョンウンスク）の愛すべきエッセー本『旅と酒とコリアシネマ』（A PEOPLE新書　2021年刊）に次のようなくだりがある。「韓国映画に触発されて旅に出る人は少なくない。旅に向かわせる映画としてまず思い浮かぶのが、ホン・サンス監督作品だ。江陵（カンヌン）や春川（チュンチョン）、慶州（キョンジュ）、薪斗里（シンドゥリ）（忠清南道）、堤川（チェチョン）（忠清北道）など田舎町の風景をざっくり切り取った初期・中期の作品を観て、何度その舞台を訪れたかわからない。」

ただしホン監督作の旅は必ずしも「田舎町の風景をざっくり切り取った」ものだけではなく、ソウル首都圏で終始する場合もある。『女は男の未来だ』の場合は目的地がソウルに隣接する衛星都市・富川（プチョン）市だ。アメリカ留学から一時帰国したホンジュンは後輩ムノのソウル市内の自宅を訪ねる。ムノの妻から「外で会ってくれ」と言われた二人は仕方なく、近所の中国料理店で昼間から焼酎（ソジュ）を酌み交わす。韓国の人は本当に焼酎が好きだ。高いアルコール度数などかまわずに一気飲みを繰り返すホン映画の食事シーンも、つねに泥酔を引き起こしている。

ホンジュンは感興をもよおす小冒険を思いつく。自分が留学前に付き合っていた女子学生ソナは今どうしているのかとムノに尋ねると、富川のホテル内でバーを経営しているらしいとムノは答える。ソナに横恋慕していたムノは、ホンジュン先輩のアメリカ留学をいいことにソナと恋愛関係となったが、その関係もほどなく終わり、7年の歳月が経過した。

昼酒の余勢も手伝って、先輩と後輩はタクシーで富川に向かう。新たな生活を構築した女性からすれば、たとえ肉体関係を結んだ相手にせよ、迷惑な話だが、二人組とて迷惑千万は承知の上の出発だ。不安と甘えの小冒険である。散々な結果に終わることさえ酔いの回った脳の中でも織り込み済みらしきメランコリックな表情を、タクシー内で崩すことはない。しかしたとえメランコリーと共にあろうと、ストーカーまがいの蛮勇であることに変わりがない。

ところが、迎えるソナの姿勢が痛快である。二人組を迷惑げにシャットアウトするのではなく、状況をひとまず楽しんでみることにしたようだ。真夜中から早朝にかけて時間割授業のように、向かい合った2つの寝室でそれぞれホンジュン、ムノの順にセックスする。ホンジュンは以前にソナが浮気した件をまだ根に持っているようである。男二人組は浮気者だが、同様にソナも浮気者である。事態はただそれだけのことであり、それは仕方のないことなのに、仕方のないことを延々とクヨクヨ再検証するのがホン・サンス映画である。

再検証の堂々巡りはホンのフィルモグラフィーの中で依然として続行している。ごく稀に徳行が功を奏して事態が平和裡に収拾するケースがなくもない。しかしたいがいは愚行、蛮行、徳行のあいだを行きつ戻りつする。ホン・サンスの映画はいつになったら決然としたボン・サンスに達することができるのか？　ボン・サンス（bon sens）をただ単に「良識」と翻訳してしまうと、ホン・サンス映画には良識がないというふうに退屈な議論に終始してしまうが、この用語を『方法序説』（１６３７）のデカルトにしたがい、ダジャレめかしてホン・サンス映画をボン・サンス欠落映画として捉え直したならば、より大きな計測が必要になってくる。デカルトは説く。「最も大きな心は、最も大きな徳行をなしうるとともに、最も大きな悪行をもなしうるものであり、ゆっくりとしか歩かない人でも、もしまっすぐな途（みち）をとるならば、走る人がまっすぐな途をそれる場合よりも、はるかに先へ進みうるのである。」

この「はるかに先へ進みうる」途を選び取る才覚をbon sensと呼ぶ。このbon sensがじゅうぶんに機能しないうちは、人間は徳行と悪行のどちらにも転じるクリティックな状況のまま生きるほかはない。手を替え品を替えつつもほとんど似通った作品を紡ぎ続けるホン・サンスはこのクリティックな人間模様の巨大な物語を書きつつあり、フィルモグラフィー全体が巨大なbon sensとのすれ違いのメロドラマでありうることをここに指摘しておきたい。

デカルトはこうも書いている。「不完全性はたいていは建物の変革よりも辛抱しやすいものである。あたかも山々の間をうねりくねって行く山道が、人の通るにつれて少しずつ平らに歩きやすくなり、近道をして岩をよじのぼったり崖の下まで降りたりするよりは、その本道を行くほうがはるかによい、のと同様である。」

まっすぐに歩けない、ボン・サンスを欠いた存在の群れとしてホン・サンス映画を捉えると同時に、もうひとつの猶予として、どうしてもうねりくねってしまう泥酔者のおぼつかぬ歩行の群れとして捉えることもできよう。この愚行の歩みの一歩一歩も、より大きな視座から俯瞰した場合、「人の通るにつれて少しずつ平らに歩きやすく」なるための地固めの踏み締めになっており、『女は男の未来だ』の画面をなにやら浮かぬ表情で通り過ぎていく数人の女と男の愚行／歩行も、そうした成蹊（せいけい）の大物語の一プロセスなのかもしれないのである。

なお、タイトルの『女は男の未来だ』はルイ・アラゴンの詩から採られている。ホンがフランスの土産物屋で見かけた絵葉書に記されていたらしい。

本作は2004年、カンヌ国際映画祭のコンペティションに出品された。同時に出品されたパク・チャヌク監督『オールド・ボーイ』は第2席のグランプリを受賞するが、『女は男の未来だ』は無冠に終わった。ムノを演じたユ・ジテは、両作品のメインキャストとしてレッドカーペットを2度歩くという栄誉に浴した。

**荻野洋一**（おぎの・よういち）
映画評論家、番組等の構成・演出も務める。「キネマ旬報」「リアルサウンド」「boid マガジン」等で執筆。共著は本誌の旧刊「フィルムメーカーズ21 ジャン＝リュック・ゴダール」ほか。

作品論06　映画館の恋

# 〝いきなりのズーム〟を初めて使った節目作

川口敦子

**映画館の恋**　韓国・フランス／2005年／89分
극장전　Tale of Cinema
監督・脚本ホン・サンス　撮影キム・ヒョング　音楽チョン・ヨンジン　編集ハム・ソンウォン　出演キム・サンギョン、オム・ジウォン、イ・ギウ
日本公開2007年3月31日　配給チョンオラム
大学入試を終えたサンウォン（イ・ギウ）は、通り越しに覗いた店で、中学時代の初恋の女性ヨンシル（オム・ジウォン）と再会する。一見、快活に見える若い男女の意外な一面を示すこの物語は、上映時間の半ばを過ぎて、映画監督ドンス（キム・サンギョン）が観ていた先輩監督の映画のものであったことが明かされ、ドンスが劇場の前で女優ヨンシル（ジウォンの二役）と知り合い、彼ら二人による現実の物語に変奏される。

写真提供　Chungeorahm Film

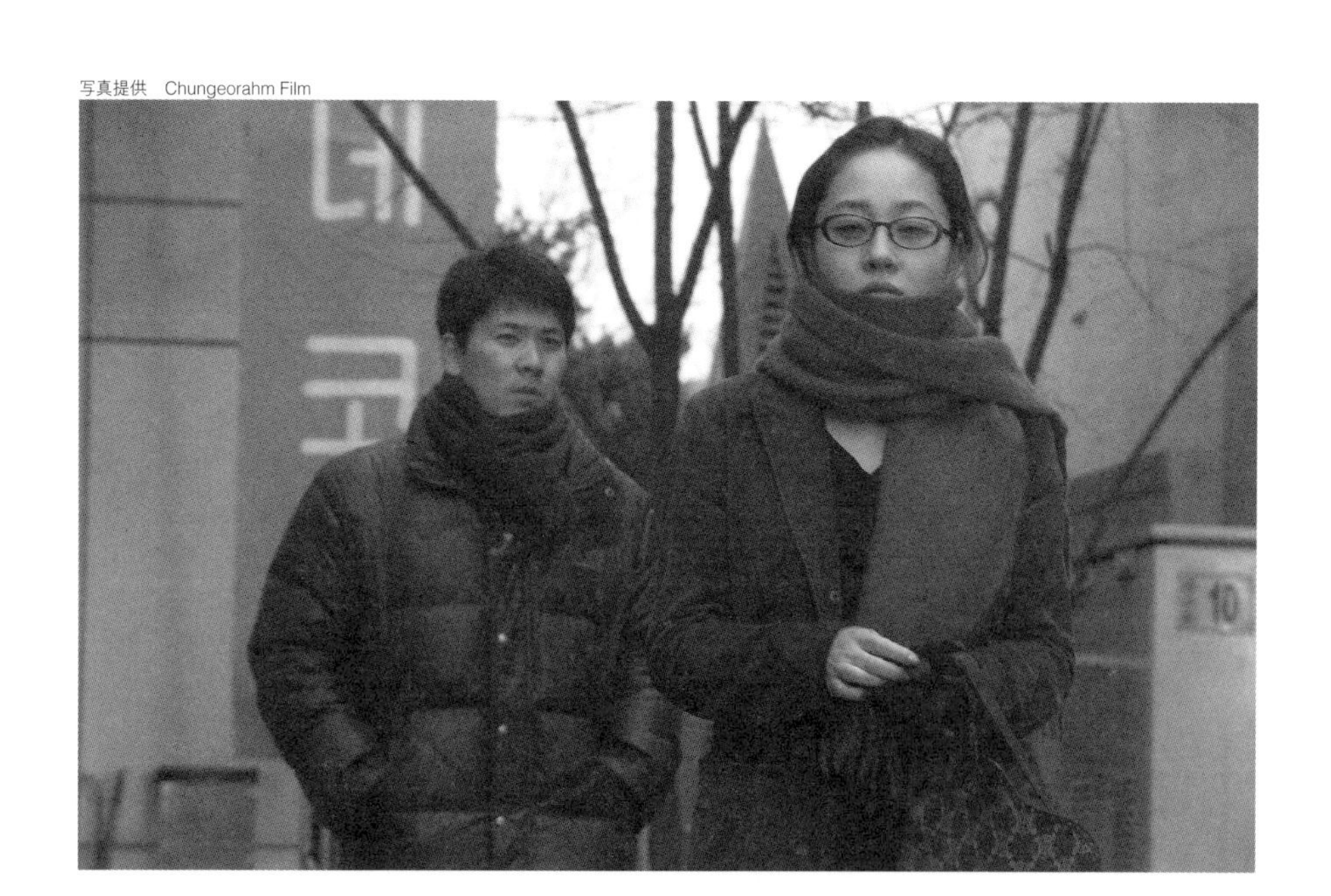

映画は作られるべき時に作られる——と、これは『Summer of 85』（20）のプレスに引かれた監督フランソワ・オゾンの言葉。思春期に読んだヤングアダルト小説を映画化しようと心に決めながら、30余年の時間をかけ熟成するのを待ったというその発言にヒントをもらって、映画には見られるべき時もあるーーと思い込みたくなっている。他でもない、ホン・サンス6本目の長編『映画館の恋』と今、時を経て改めて向き合ってみると、そんな感懐がふつふつとこみ上げてくるのだ。

確かに封切り時、見る度に新しくなる映画だろうとの確信はあった。映画内映画の青年とそれを見たもう若くもない青年監督の人生が、ホン映画ならではの知らん顔した中折れ構造の中で反復とズレの妙味をなぞりながら、切り返しのように照射しあう時空。虚構と実人生、その交錯がぽっかりと晴れたソウルの街の寒気と共に目に胸に飛び込んで、奇妙なわからなさしわかるわかるとの思いとが入り乱れるままに、次に見た時にはきっとまた別の景色が見えてくるはずと、そんなくっきりとした予感を噛みしめていた。

それから10余年、新たな日本上陸作『小説家の映画』（22）に続いてすでに3本の新作を撮りあげている多作の人の旺盛なキャリアを振り返る時、『映画館の恋』は実際、以前にはまだ見えていなかったホンという監督の映画歴の中の転換点というべき重みを伴って、今こそ見るべき時と、その新たな貌を誇らしげに掲げてみせる。それを証しするようにニューヨークを拠点に活躍する批評家兼キュレーター、デニス・リムは、ホンをめぐる評伝を『映画館の恋』1本に絞って展開するという英断を下してみせた。そこでも触れられているように、映画はその後のホンの映画の徴となる、いきなりのズームを初めて使った一作としてまずは見逃せない節目の位置を獲得する。

もっとも、「別にトレードマークにしようなんてつもりはなかった」と初めてのズームについてホン自身は涼しい顔で述懐する。が、その効用について語る言葉はノンシャランの調子にまぶされてはいるものの、ホンの映画の核心に触れていて見逃せない。「ある日、カットを割ることなく俳優たちに近づいてみたいと思って。で、ズームを使ってみると、ひと続きの場面の中に独特リズムを生じさせ得ると発見したわけなんです」(Cinema Scope #64　2015)

例えば、唐突なズームといえばのアルトマン、彼の場合には、その使用によってひとつの場面に外からの目、醒めた客観をもたらして、距離をもって人をみつめる撮り手の位置を思わせる。かたやホンのそれは、『映画館の恋』の前半部カフェで向き合う青年と初恋の人とのツーショットの場にも見て取れるように、長回しを分断することなく、一方の言葉にならない想いをズームでその顔に肉薄し鮮やかに掬ってみせる。持続する時間の中で奇妙に微妙な人の想い、すれ違いの呼吸のようなものが浮上していく。直截な言葉を退け表情で見せる。要は生々しさの回避の術ともとれるホンのズームは、それ以前の作品が湛えていた人に向けた眼差しの熱さ、若さに裏打ちされた生真面目さから、悲しみを底に湛えた朗らかさ、軽やかさの方へと進んでいく以後の作品たちへと、洗練を纏って変わる彼の映画の切り札として発見された手法とも見えてスリリングだ。それもまた、見られるべき時に見る映画の醍醐味といえるだろう。

その意味では、『あなたの顔の前に』(21)を通過した目に『映画館の恋』のスリルはいっそう格別のものとなる。『あなたの顔の前に』で組んだ女優イ・ヘヨンの父、韓国映画史上再評価を迫られる監督イ・マニの問題作『休日』(68)を検閲に抗して買い取り、未公開のまま保護したのが、製作を務めたホンの母チョン・オクスクに他ならなかった。2015年、その母チョン・ヨンの葬儀に出席してくれたのをきっかけに、イ・ヘヨンのホン映画への主演は実現したという。そんな家族の歴史をふまえた上で、字幕なしながら『休日』を見てみると、そこには寒風吹きすさぶ丘の上の恋人たちの傍らの木立へのそれを始めとして唐突なズームがあり、あるいはまた、ぽくぽくと挿入される風変わりな主人公の独白もまたあって、『映画館の恋』の公開時、『休日』と比較する評が韓国内で少なからずあったとするMUBI.comの記事（22年5月8日）に、肯きたくもなってくる。ただし、『休日』がイ監督回顧上映で陽の目をみたのが2005年。『映画館の恋』の公開もまた同じ年。となると、撮影時ホンがイと母の労作を見ていたかは定かでない。が、『映画館の恋』の前半で、青年が暇つぶしに見る母ものの芝居、それが前半部分の幕切れにかけて露わになる息子と母という映画内映画の真の主題の伏線となり、幕切れの絶叫と結ばれていくことを思えば、母が手掛けた幻の一作『休日』との重なりも、まんざら偶然ではないように思えてくる。あるいは『映画館の恋』がみつめる虚実の相関を想起すれば、映画内映画が描く母のモチーフに影響されたかのように、旧友の幼い娘が体調を崩した時に巻いてやったマフラーを、人でなしと非難する友の視線をものともせずに奪還する後半部分の主人公が、「母にもらったものだから」ともらす呟きとも共鳴して、全編にしぶとく震えている母の主題をもう一度、確認することになる。そうしてそれは、近作『イントロダクション』（21）にある母と息子の姿に至るまで、ホン映画に細やかに影を落とすひとつのテーマとして噛みしめずにはいられなくなる。ホン・サンスの世界をもっと堪能するために、節目の快作『映画館の恋』を見るべき時を逃したくないと改めてまた思う。

**川口敦子**（かわぐち・あつこ）
映画評論家。著書に『映画の森—その魅惑の鬱蒼に分け入って』。翻訳した『ロバート・アルトマン　わが映画、わが人生』が〈キネマ旬報映画本大賞2007〉で第一位。

作品論07　浜辺の女

# デジタル撮影に移行し創作の自由を得た転機作

よしひろまさみち

**浜辺の女**　韓国／2006年／カラー／127分
해변의 여인　Woman on the Beach
監督・脚本 ホン・サンス　撮影 キム・ヒョング　音楽 チョン・ヨンジン　編集 ハム・ソンウォン　出演 キム・スンウ、コ・ヒョンジョン、ソン・ソンミ、キム・テウ
日本公開 2007年8月25日　配給 エスピーオー
脚本に行き詰まった映画監督ジュンネ（キム・スンウ）は、後輩の美術監督チャンウク（キム・テウ）と新斗里（シンドゥリ）海岸へ旅行し、同行したチャンウクのガールフレンド、ムンスク（コ・ヒョンジョン）と恋仲になる。2日後、離婚間際にある女性ソンヒ（ソン・ソンミ）と仲良くなったジュンネのもとを、ムンスクが訪れる。男の女々しさと男尊女卑的な価値観を冷静に見つめ、新境地を切り拓いた一作。

写真提供　FINECUT

『深夜食堂 from ソウル』（15）のマスター役を演じたキム・スンウ、『女王の教室』（13）の冷酷な教師役を演じたコ・ヒョンジョン。日本ではドラマでの活躍が広く知られている2人のベテラン。そんな彼らが主演した数少ない映画のひとつが『浜辺の女』だ。当時すでにテレビでお茶の間人気を獲得していたキム・スンウ、そして離婚後の芸能界復帰で映画に初めて挑んだコ・ヒョンジョンがホン・サンス監督の初期作品に出ていた、ということもなかなか感慨深い。ちなみにホン・サンスにとっても、この作品はターニングポイント、彼のキャリアでは重要作だ。1996年のデビュー作『豚が井戸に落ちた日』から1~3年程度のスパンで新作を作っていた彼だが、この作品からガラリと手法を変え、製作のスピードを加速させている。現在のホン・サンスのスタイルである「自分が作りたい作品を撮る」映画作家に転じているのだ。まさによきタイミングだった、としかいいようがない。

まず、この作品でホン・サンスに起きた変化について。じつはこの作品以降、彼は自身の制作会社Jeonwonsa Film Co.を設立している。この会社ではそれ以降のホン・サンス監督作はもちろんだが、ホン・サンス監督作のプロデューサー、キム・チョヒが初めて手掛けた短編映画も製作（その後、彼女は辞職し、2019年の『チャンシルさんには福が多いね』で長編デビュー）。また、『浜辺の女』からデジタルカメラが導入され、彼の手法である即興的な演出やズームを伴う長回しなどが自由にできるようになり、それまでと比較して超低予算で仕上げることが可能になった。

これについては、監督自身が当時のインタビューで、それまでの作品とは全く異なる自由度を得たことを語っている。キャリア初期は、国際舞台で評価された監督であっても、出資者のために事前にシナリオを書かねばならず、現場でころころと変更したことを、いちいち修正していかなければならなかった。これがホン・サンスにとってどれだけの足かせになったかは、想像に易いだろう。今となっては有名な彼の制作スタイル「俳優とロケ先だけ決めて、撮影する日の朝までシナリオを書かない」というのは、この作品前後で確立したものだということが分かる。彼がこの作品をきっかけに「自由を得た」のは、もはや必然だったともいえる。

さて、そんな『浜辺の女』。ホン・サンスが自由を得たといっても、彼とマス・マーケットは相性が悪い。芸能界復帰したばかりのコ・ヒョンジョンの映画デビューという話題性と、韓国の映画誌「シネ21」の年間ベストに選ばれた作品性を持ちつつも、ホン・サンス作品の中では目立たない（3大映画祭への出品もなかった）。おまけに、韓国での興行時の宣伝はもちろん、日本での宣伝展開にもちょっと問題があった。劇中どこを切り取っても出てこないような、キラッキラのラブロマンス風のビジュアルでパブリシティを展開していたのだ。ホン・サンスを知っている人なら「そんなはずはない」と理解できるが、そうではない大半の人にはいわゆる韓流ラブロマンスに映る。

じつは当時の韓国映画界は、いわゆるちょっとした低迷期を迎えていた。『シュリ』（99）からはじまったポリティカル・サスペンス・アクション路線と、『冬のソナタ』（02）からはじまったラブロマンス路線が牽引した第一次韓流ブームが一段落し、マスに対しこれらのジャンルもののウケが悪くなっていた（が、映画マーケティング側は、トレンドを読み取れずに既定路線を貫いていた）。それは、この年の韓国興収ランキング上位作――『タチャ　イカサマ師』『カンナさん大成功です！』『グエムル　漢江の怪物』――をみれば一目瞭然。多くの人は目新しいものを求めていたのだ。だからこそ、ホン・サンスの再出発となった『浜辺の女』が、もっと広く知られるべき年だったはず。ところが、無難を求めた結果、宣伝展開を誤った。悲しいかな、日本映画市場ではいまだこういったことが常態化しているものの、アジアの映画先進国・韓国でもこのような混迷期があったことが、『浜辺の女』周辺をみているだけでくみとれる。商業的マーケティングはある程度必要だが、作品をねじまげてまでセールスしようとする姿勢は、映像文化において恥ずべきことといえるだろう。

その一方、『浜辺の女』で確立したことがある。それが、もはやホン・サンスのお家芸ともいえるズームだ。それまでの作品でもズームは使われていたが、この作品から意識的に、かつ頻繁に使われるようになったことが見て取れる。特に、キム・スンウ演じるジュンネのだらしなさ、コ・ヒョンジョン演じるムンスクの揺れ動くジュンネへの気持ち。また、最初のグルーピングから次のグループへ、登場人物の構成が入れ替わるところなど。突然にクローズアップするカメラによって、それらが見事に表現されている。作を重ねるごとに、この手法がより研ぎ澄まされていくことは、これ以降の作品を観れば明らかだ。

韓国映画史では「ホン・サンス以前・以後」という転機があったが、『浜辺の女』を境にしてホン・サンスも変わったと言えるといえるのではないだろうか。

**よしひろまさみち**
映画ライター。フリー編集者。「sweet」「otona MUSE」に執筆のほか、「an・an」「SPA!」などの媒体に取材やレビュー記事を連載。TV、ラジオ、ウェブ、イベント等に多数出演。

**作品論08**

# アバンチュールはパリで
# 大人になりましょう

若木康輔

**アバンチュールはパリで**　韓国・フランス／2008年／カラー／145分
밤과 낮　Night and Day
監督・脚本 ホン・サンス　撮影 キム・フングァン　音楽 チョン・ヨンジン　編集 ハム・ソンウォン　出演 キム・ヨンホ、パク・ウネ、ファン・スジョン　キ・ジュボン　イ・ソンギュン
日本公開　2009年10月17日　配給 ビターズ・エンド
画家のソンナム（キム・ヨンホ）は大麻吸引の罪を逃れて、パリに来る。チャン（キ・ジュボン）の民宿に逗留し、夜な夜なソウルの妻（ファン・スジョン）と電話で話す日々をおくるなか、彼は元恋人ミンソン（キム・ユジン）の不倫の誘惑を断る。しかし、美術館めぐりの帰途、知り合った若い留学生ユジョン（パク・ウネ）に魅了され、妻帯者であるのに盛んに言い寄る。男の甲斐性のなさと〝存在の耐えられない軽さ〟を描く一作。

写真提供　FINECUT

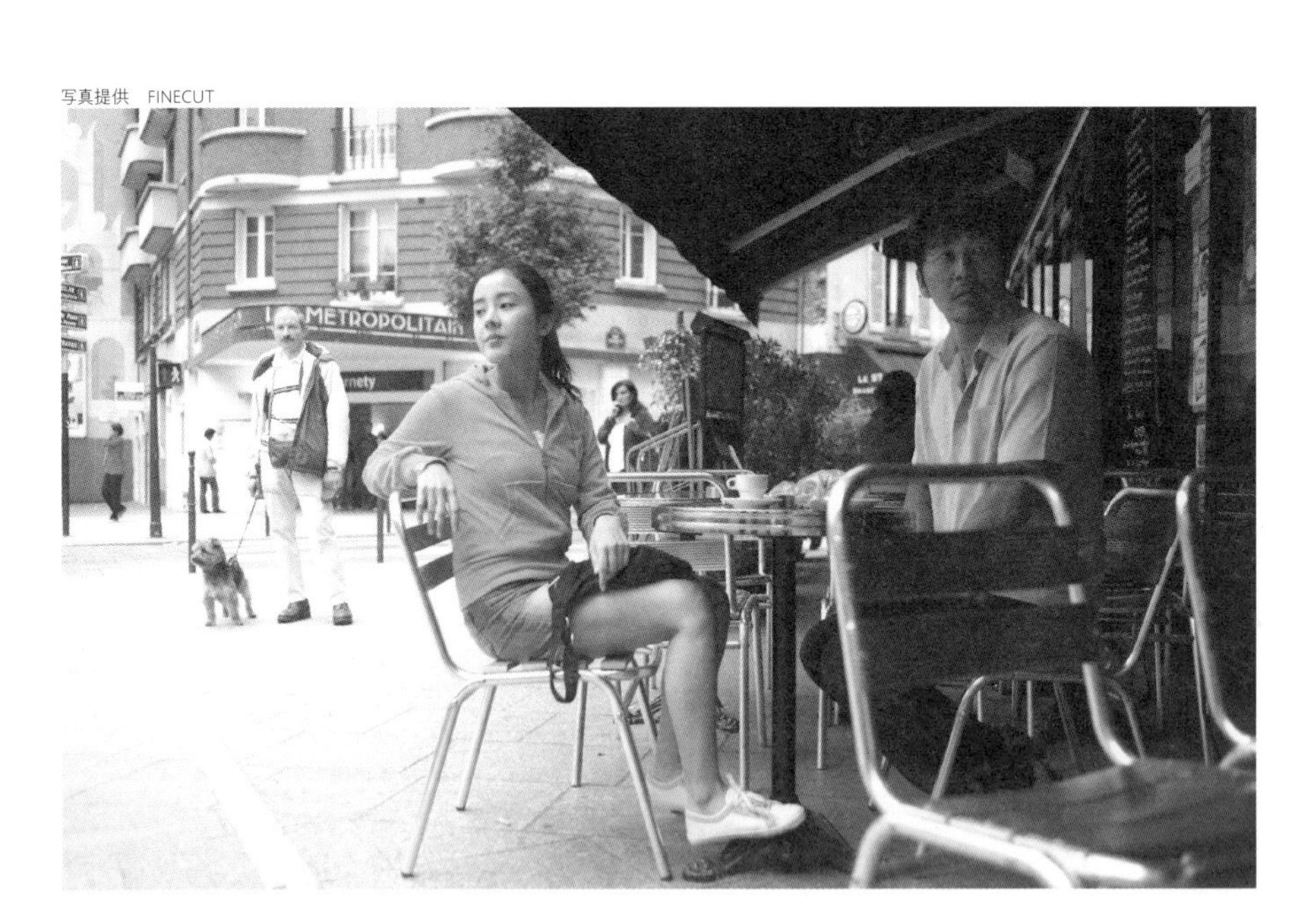

ホン・サンスの映画をどれか一本書くよう言われ、迷わず『アバンチュールはパリで』を希望に出した。見ているなかでは特にこれが好きだ。単身パリで過ごす男の日記構成の物語に夏目漱石のロンドン留学日記のような風味があるせいか、他の監督作よりもサンス自身の実感を強く嗅げる。実際、長編デビューの前にパリに滞在していた時期がある、と後で知ってずいぶん納得した。

『アバンチュールはパリで』をホン・サンスの主要作の一つだと考える僕なりの理由を綴りたいが、そのためにはまず初期の傾向を吟味する作業が必要になる。

『気まぐれな唇』や『女は男の未来だ』を今(二〇二三年)見ると、後味が陰惨なのにギョッとさせられる。痴情に溺れて行き当たりばったりの行状を繰り返す男達が、いずれ何らかのハラスメントの告発を受ける将来が目に見えているからだ。させてくれるか、くれないかで女性を見る、対等の関係の女友達を作れない男は日本にも多い。彼らの幼さを大目に見られないのは粋じゃないとされる時代は終わった。僕らはもう無理しなくていい。「まったく男って生き物ときたら」と余裕ある微苦笑で受け止め、ビターな恋愛喜劇の範囲内で解釈してあげるような映画エッセイなんか、もう書かなくていい。

ホン・サンスもおそらく、当時は多少無理していたのだ。パリ滞在中はシネマテークに通っていた純映画愛好家が長編を作るとなった時、自分の得意にできるジャンルが何かは念入りに検討したはずだ。偉大な映画監督で通俗な題材を避けた者はいない(ブレッソンは例外かもしれないけど)。映画の通俗とは突き詰めればさびしい人の夢だ。とはいえ激動の人生ドラマや街なかの銃撃戦はとても撮る意欲は湧かないから、代わりに、付きまとえばすぐほだされて寝てくれる人妻や、「しゃぶってあげましょうか」と囁いてくれる女学生を登場させた。

同時にそんな都合のいい夢が単なる慰撫を越えな

いこと、現代に作る艶笑譚がルノワールやルビッチのようにはなかなかいかないこともホン・サンスはよく分かっていた。だから、登場人物の主観を強調する描写は避ける反メロドラマの演出をどんどん徹底させて、物語と話法の間に乖離があり、緊張があるスタイルを自分のものにしていった。（ズームや長回し、時制の組み変えなどの画面上の特徴の前にあくまで思考がある、と捉えるのが僕の映画評の基本です）

問題はそれからどうするかだ。韓国では一番お客が入った『女は男の未来だ』のパターンを手堅く繰り返すか、自身の考え方や価値観の変化に忠実でいるか。答えは言うまでもない。ホン・サンスは両方とも選び取り、いつも同じような映画だと言われ続けながらもいつの間にか女性を描く作家に変貌する、離れ業のような境地に達した。それを知っている目で改めて『アバンチュールはパリで』を見ると、画家ソンナムがパリに着いて早々「全てを捨てて出直そう」と呟き、聖書を大真面目に読み出す姿に当時のホン・サンスの模索が重なってホロリとなる。美学校生ユジョンと出会えばすぐに頭が一杯になってしまうのだが、芸術家がパリで若く美しい娘と親しくなったのに情熱が高まらないとしたら、そっちのほうが非人間的ではある。少なくとも、大学の先生と女学生のような上下関係でなく、女性への接し方が明らかに下手なソンナムが気の強いユジョンへのアプローチにてこずるあたりに、舞台がパリだと物語と話法が離れない、正統なロマンス・コメディづくりに挑戦できている喜びと意欲を感じる。そして、それが成功していることで、当時のホン・サンスが課題にしていた心境がより率直に見えてくる。

課題とは何か。男はどうすれば大人になれるのか？　だ。『アバンチュールはパリで』は、いつまでも恋をしていたい成熟拒否願望と父親／大人になりたい願望との間で男が揺れるさまに特色があり、しかもそれが後々の成熟の予兆になっている。

序盤にソンナムは、今は人妻である昔の恋人と再会し、不倫を提案されるが慌てて拒む。付き合っていた頃に何度も中絶した、と打ち明けられたのが響いている。オルセー美術館ではクールベの（芸術か猥褻かの議論がいまだ続く）『世界の起原』をしげしげと鑑賞するので、ホン・サンス映画の男らしいやとまずは思わせるものの、その後、訪問先で赤ん坊を抱っこしたり道端で男の子をからかったりする時の笑顔に彼の深層心理が垣間見える。さらにソンナムは、恋したユジョンと紆余曲折のすえ一緒に宿に入ると、避妊具なしの性交を激しく望む。これまたホン・サンス映画の男らしいようで、薬局に避妊具を買いに行ってそれでもなお、のあたりに切迫したものがある。そして、国際電話で妻から妊娠したと告げられた途端、飛ぶように帰国する。しかし妊娠は嘘だった。

もともとソンナムは大麻吸引で捕まるのを恐れ、妻を韓国に置いて一人でパリに逃げ込むような幼い男だ。ソンナムがまだ父親にはなれず、大人になる資格は与えられない教訓劇の展開と、女性の主観的感情が現れる場面は夢の中でしか出てこない含羞を通して、ホン・サンスは、まだ女性や大人の男性を主人公にする自信はないと告白しているのだ。

だから、いずれはホン・サンスが本当に精神的に大人の男性を主人公に据え、女性映画の名手と評価される現在さえ過渡期としてしまう可能性が、僕は大いにあると思っている。『アバンチュールはパリで』でいい味を出しているのが、ソンナムにまさに父親のように接してくれる民宿の主人だ。こういう、一見平凡でやや抜けたおじさんが困った顔で周囲の世話を焼くうち自ずと問題が解決していくような、そんな喜劇を撮る／人間になることこそがホン・サンスの理想なのではないか。

**若木康輔**（わかき・こうすけ）
1968年生まれ。日本映画学校（現・日本映画大学）卒。96年よりフリーランスの番組構成作家。08年頃より紙媒体のライターも時々。映画の脚本作に19年公開『漫画誕生』。

# 深田晃司 × 筒井真理子

◉

# 信頼関係が俳優の力を引き出す

司会・構成　小出幸子

撮影　制野善彦

深田晃司監督と筒井真理子さんが出会い共鳴した映画『淵に立つ』は、第69回カンヌ国際映画祭「ある視点」部門で審査員賞を獲得。2019年の『よこがお』では、理不尽な出来事に遭遇する主人公を演じ、これまた素晴らしい化学反応を起こした。深田監督にとって、ゆえに彼女は大切なミューズに違いない。そんな二人がホン・サンスの演出法を探り、映画や演劇における芝居の本質について語りあった。

## 説明とは違う位相にある演技

──深田監督は、ホン・サンス作品を評価なさっています。

**深田**｜そうですね、好きで観ています。ただ全作を観ている訳ではないです。それに記憶の中で何本か混ざっていますね。

**筒井**｜ホン監督作は混ざりますよね。でも、それが正しい見方なのかも。キャストも似ているし、シチュエーションも似ているから。

**深田**｜セリフに関しても、助監督から、同じセリフがあると指摘されたことがあるって聞いています。ホン監督の魅力というのは、表現の中で肩肘張った感じがなく、彼にとって、本当に必要なものだけを選択している。だから、すごくプリミティブな表現になっているのではないでしょうか。気がつくと時間がスルスルと流れている。そこに映っている俳優の魅力というか、それぞれ等身大の俳優がリラックスして演じてる映画というのは、ずっと見ていられるものだと感じます。

**筒井**｜監督はとても正直な方なようです。普段も、何に関しても正直に向き合って、さらけ出しているというか、そんな正直な人がいるのか、というくらいの監督のようです。でも、正直に生きるのは大変ですよね。そう思うとすごい方だな、と。それに加えて監督の現場は、役者たちが監督に包まれて、愛されている感じがあるから、その分、自分もさらけ出せるらしいですよ。

**深田**｜その印象と作品が、重なるところと重ならない面もあって面白いと思います。映画では俳優たちはリラックスしてそこにいるように思える。とにかくフィクションとしてのキャラクター、何かを背負っている感じではなく、等身大にそこにいる。でも、どこまで本音を話しているか分からない距離感もあって、自分としては共感するところです。

**筒井**｜多分、監督の頭の中では、その辺りを計算して理解している。

**深田**｜『アバンチュールはパリで』(08)の主人公が、大麻を吸ったことが発覚しそうになり、慌てて韓国からパリに逃げます。最初のナレーションで、不安を抱えながらパリに向かったという状況が語られるけれど、空港に立つ主人公は全然、不安な感じに見えない。

**筒井**｜落ち込んで、奥さんに電話した

りしているシーンもあります。

**深田**｜そうそう、それは描かれるけれど、その前提として不安に苛まれているかどうか分からないですよね。空港に着きタバコを吸っている姿が描かれるけれど、観る側は感情移入するというより、オーバーに自分に酔っているのかもしれないとか、考えながら見てしまう。で、この感覚が何かに似ているなと思ったのですが、それがロベール・ブレッソン監督の『田舎司祭の日記』（51）です。

僕は俳優たちとのワークショップとかで、いくつか映画を見るのですが、その1本が『田舎司祭の日記』です。主人公の若い司祭が体調を崩していて、ワインに浸したパンを食べている場面で気力が湧いたとモノローグが入るのですが、芝居が全然、気力が湧いているように見えない。ホン監督がアメリカ大学時代に『田舎司祭の日記』を観て、フランスに行くことにしたという話を思い出したのです。それが、妙に自分の中でつながる感じがありました。人間に対する向き合い方、何かを説明するために演技があるわけではないというスタンスなのですね。

**筒井**｜楽しい時に、単に楽しい顔をするということではないですよね。

**深田**｜ある種の映画はそれをきちんと伝わるようにすることで見やすくなったり、物語が分かりやすくなったりするので、その作品に求められる表現があるとは思います。ただ、ホン監督のスタンスは、個人的にはすごく共感するし、映画を作るときにそうありたいと思うところです。

**筒井**｜多くの観客に見てもらおうとすると、分かりやすいものをどうしても作ってしまう。ホン監督のように、3万人でいいというか、多分、その人数が理解してくれればいいと思っている監督の、その在り様はいいですよね。

**深田**｜撮影の方法も、その日のうちに俳優に台本を渡すとか。

**筒井**｜みたいですね。でも、前段階としてきっちり役者と話をするらしいです。実は、ちゃんと書かれた台本もあって役者には渡さないけれど、綿密な骨組みがあるという話も聞いたことあります。

**深田**｜ああそれ、インタビューで読んだことがあって、土台が7、8割くらい出来ている。それを最後に仕上げるのが当日の現場で、だから台本を渡すのがその朝なのだという。

**筒井**｜本当に当日の朝みたいですよ(笑)。

**深田**｜そうなってくると、逆に俳優にとっての「演技とは何か」ということも関わってくると思うのです。そこは、筒井さんとしてはどうでしょうか。

**筒井**｜私が理想とするものは、例えば順撮りできていて、ここまでは知っているけれど、これから撮影するシーンは知らないという感じで入りたいと思います。今から話すことを知らないというのは、それが本当にリアルな反応だから。

　ブリランテ・メンドーサ監督が、『ローサは密告された』(16)で東京国際映画祭で講義されるというので、この作品が大好きでしたのでチケットを取ってもらって行ったんです。『ローサ』の最後のシーンはどう撮ったのかというと、やはり台本はきっちりあるのだけれど、ローサ役の役者さんには、何がそこにあるとか、どういうストーリーになっていくとか言わなかったらしいです。

　フィリピンの貧困を背景に、麻薬などによって家族が崩壊していく話ですが、彼女が刑務所から釈放され、街でお団子を買うシーンまでは決まっていたらしいのです。そして、その後なのですが、かつて自分たちもそうであった幸せな家族を見るわけです。お団子を食べながらそれを見て、ワーッと泣くのですが、それがとても素晴らしい。まさにお団子を買って食べるという内容だけ伝えて、あとは何も知らなかったわけです。役者としたら、その後を知らなかったことは幸せだと思ったりもしました。

　台本は全部覚えて、その前の事は頭に入れて、そこから先のシーンのことはなるべく忘れる。忘れるために身体にセリフを染み込ませる。

**深田**｜多くの監督が欲しい役者さんの状態は、分かっていることを、ただなぞる演技ではないですよね。でも、俳優の演技ってすごく不条理なことやっていると思いますね。

**筒井**｜本当ですよね。

**深田**｜最初に台本読んで結末まで知っていて、何が起きるかも知っているのに、まるで知らないかのように演じなくてはいけない。

自分は役者でもないので、聞きかじっただけで言いますと、演劇でも稽古を重ね、セリフや演技、段取りを完璧に体に叩き込んで、やっとそこがスタートラインだとか。そこから先の稽古が大事なのだという。だから、稽古期間が短いと大変だろうと。

映画と演劇の特性の差だと思うのですが、演劇は確かに生ではあるけれど、ある意味でライブ性が強いのは、実は映画の方とも言えるのではないか。演劇は反復できないといけない。10回公演があったら10回ヒットを打てないといけなくて、この日はホームランだけれど、次の日は三振では困るわけで。

**筒井**｜でも、正直ありますよ。

**深田**｜三振ありますか（笑）。

**筒井**｜三振はやってはいけないですけれど。でも、毎日毎日言っているセリフなのに、聞いているセリフなのに、相手の言っていることが、初めてああ、そういうことかと分かる時も舞台の上ではありますからね。その発見がたくさんあるように心掛けているのですけれど。

## 俳優を見極め、信頼する関係

**深田**｜演劇の方が、より強く職業俳優であることが求められるところがありますね。つまり、きちんと訓練して覚えて舞台に立つわけですよね。映画の場合は、その特質として、それこそあえて職業俳優じゃない人を起用する監督がいます。そういった方法が成立するのはカメラの前で一回でもリアルなものを出してくれたら、それで十分、成立してしまうところがあるので。

**筒井**｜その方が実際、面白かったりしますしね。舞台でも、セリフが心配しないで入っているから、逆に捨てられる。忘れても怖くない状況になると、むしろ全部忘れて目の前にいる人の言うことを聞いていればいいという状況が作れる時があるんですよね。やはり中途半端が一番つまらなくて。自分のセリフが不安だと、相手のセリフを新鮮に聞けなくてつまらない芝居になってしまいます。

**深田**｜方法は色々で、ダルデンヌ兄弟の場合、5週間リハーサルするみたいな方法を取って、ホン・サンスなどは、それ

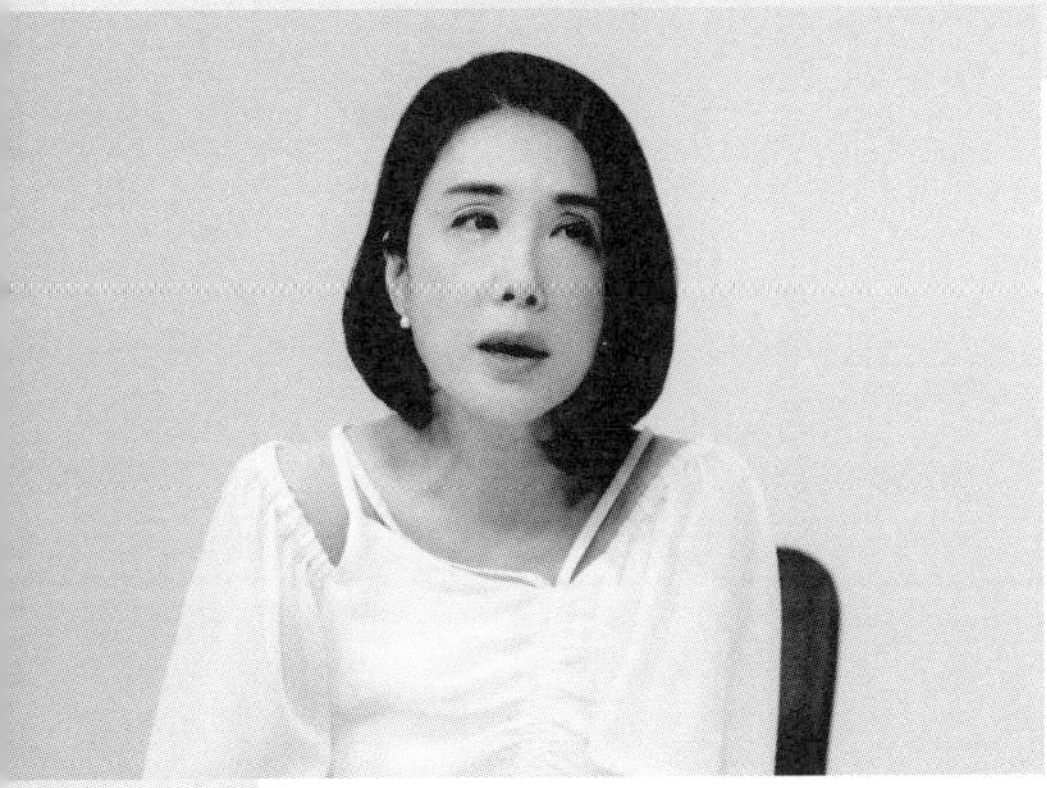

を当日に伝えることで生の感じを出そうとしている。

**筒井**―ダルデンヌ兄弟みたいに、5週間という稽古の長さも方法としてアリかもしれないですね。でも、ホン監督の場合は、当日10ページも覚えるんですよ（笑）。

**深田**―逆に言ったらホン監督のやり方は、その辺りもプリミティブですね。彼はその俳優に合った役からスタートしているし。俳優に台本を渡して、いきなり、殺人鬼の役です、ピアニストの役ですみたいなことは言わないわけですよね。俳優に合った役でしかやらない制約を選んでいる。あとは、当日の朝、台本を渡して、ある程度、決められたセリフをしゃべらせることができれば。

**筒井**―一語一句なんですって。

**深田**―一言一句決められているのですか……。言い方はよくないかもしれませんが、ホン監督こそ俳優を信頼し存分に甘えているのかも。でもそれは逆に言えば、職業俳優だからできる技ですよね。本当に俳優の技術力を信頼しているし、多分そういう俳優しか選んでいない。

よく、エリック・ロメールとホン・サンスが似ているといいますが、僕は人が言うほど似ているとは思わないのです。それぞれが極めてユニークな強い個性を持っています。でも重なっている点でいうと、両方とも生なものをすごく大事にしているけれど、やはり職業俳優と仕事をしている。一般の人を連れてきて、生を引き出せばいいという感じではない。やはり演技を信じているのだと思う。

**筒井**―それは嬉しいですね。だって素人さんの場合は、その演技と言いますか、いろいろなところが驚きで。それにはかなわないと思いますから。

**深田**―そうですよね。だからホン・サンスの映画の場合は、そういった意味でもいつも同じ俳優と繰り返し組むのは、そこに信頼感があるから。

筒井─そうみたいです。もらったセリフが全部、無理ないというか、多分、全てがそう言いたくなるセリフなのだそうです。だからこそ、覚えられるらしいです。

深田─当日渡すって、システム的に日本でやったら多分怒られますね（笑）。俳優さんの事務所から多分、めちゃくちゃ怒られる。台本まだですか！って。

──『淵に立つ』（16）や『よこがお』（19）も、当然、決定稿を渡して。

深田─当日の朝ですよ。

筒井─当日もらいました。

──え、当日!?

深田─すいません、嘘です（笑）。当日、台本の修正をたまに渡すことはありますけれど。今日の台本、ちょっと差し込みあります、みたいな感じで渡すことはありますが、事前にあります。

例えば、『淵に立つ』の筒井さんの設定でいうと、重度の障害のある娘を持つ母親の場合、取材抜きでいきなり演じてくださいというのは無理だと思うのです。

浅野忠信さんが言っていたのは、スタッフは撮影に向けてすごく準備してくるのに、俳優は言えばすぐにできると思っている人が何故か多い、と。俳優だって準備がいるのだと言っていました。

筒井─役者に必要な準備って、現場に行った時に自由になるための準備なんですよね。準備をしているのは、芝居を固めるためと思っている方も多いかもしれませんが、でも本当は、自由に衝動的になるための準備だと思うのです。

役者は多分、アクターズ・スタジオとか、そういうところを目指してやっていると思うのだけれど、日本の場合はそれがないので、芝居を決めにいくと思われているみたいで。だから、海外から帰ってきた人が、「日本は天才っていう言い方が好きだよね。天才役者なんてあり得ないのにね」って話すのです。それは実は、それだけ訓練されていないってことだし、演技環境も厳しいから。そして、準備することは、演技を固めてきていることだと思っている監督もまれにいて。でもそれは、実は一番しちゃいけないことだと思うのです。

深田─それは複雑な問題で、ホン監督と俳優の信頼感は本当に尊いと思います。それが尊く感じられてしまう日本の現状があって、もちろん全部ではないですが、俳優と監督が必ずしも信頼関係から入っていない。

予算や諸々の事情で、俳優と監督が初顔合わせなのにリハーサルができないなんてこともあるし、そうすると監督は俳優の個性を殺してただただ無難な演技をさせてしまいがちです。本当は、俳優と知り合い、話し合っていく過程こそ、クリエイティブで豊かなものにつながると思います。

——深田監督と筒井さんは、ホン監督のような事前の打ち合わせなどしましたか？

**深田**｜『淵に立つ』の時は初めてのお願いでしたから、まずその役についてのこと、そしてその役柄の取材をやりましょうという話はしました。

役作りに関して、ネタバレになるかもしれませんが、『淵に立つ』では途中で3週間から8年間の時間が飛ぶのです。筒井さんのキャラクターは、その話などしましたね。

**筒井**｜そうでしたね。子供の頃の姉とこで精神的な負荷を抱えることになる。自分に対して罪の意識を背負ってしまう。そういった彼女が8年間どう変化するのか。

追い詰められて痩せていくのではないか、という話がでました。いやむしろ、障害を負ってしまった子どもの介護にだけエネルギーを注ぐようになり、太っていくのではという提案が筒井さんからあって、実際に増量してもらったという事がありました。役作りに対するそういったディスカッションができるのは素晴らしかったですね。

『よこがお』は、筒井さんで撮りたいという前提の作品だったので、プロット段階でお会いし、雑談したんですよね。

**深田**｜その子供の頃の体験を、そのままセリフに使わせてもらいました。筒井さんのエピソードを、市川実日子さんに語ってもらっています。それは、そもそも脚本が出来上がる前からオファーして、OKがもらえたから。そんな話ができること自体、豊かなことでした。

**筒井**｜そんな話をしましたね。プロット段階でいろいろな話ができたのは楽しかったし、ホン・サンス監督のやり方のようで良かったですね。

2023年4月12日
サイバーメディアTV
上野・御徒町スタジオ

**深田晃司**（ふかだ・こうじ）
1980年生まれ。『淵に立つ』（16）でカンヌ映画祭「ある視点」部門審査員賞。『よこがお』（19）で筒井真理子を主役に迎えた。同作と2022年、東京国際映画祭で黒澤明賞を受賞。

# 作品論 2

2009-2016

作品論09　よく知りもしないくせに

# 映画祭審査員あるあるの果てに

石坂健治

**よく知りもしないくせに**　韓国／2009年／カラー／126分

잘 알지도 못하면서　Like You Know It All

監督・脚本 ホン・サンス　撮影 キム・フンクァン　編集 ハム・ソンウォン　音楽 チョン・ヨンジン　出演 キム・テウ、コ・ヒョンジョン、オム・ジウォン、コン・ヒョンジン、ユ・ジュンサン、ハ・ジョンウ

日本公開 2012年11月10日　配給 ビターズ・エンド

映画監督のク（キム・テウ）は故郷・堤川(チェチョン)の映画祭に審査員として招かれるが、映画祭ディレクターのコン（オム・ジウォン）とポルノ女優のけんかに巻き込まれ、旧友プ・サンヨン（コン・ヒョンジン）と再会するも嫌われて、這々の体で故郷を去る。数日後、これまた旧友のフィルムコミッション責任者コ（ユ・ジュンサン）の招きで、済州(チェジュ)島の大学に講義に行き、大先輩の画家と結婚した元恋人スン（コ・ヒョンジョン）と再会する。

写真提供　FINECUT

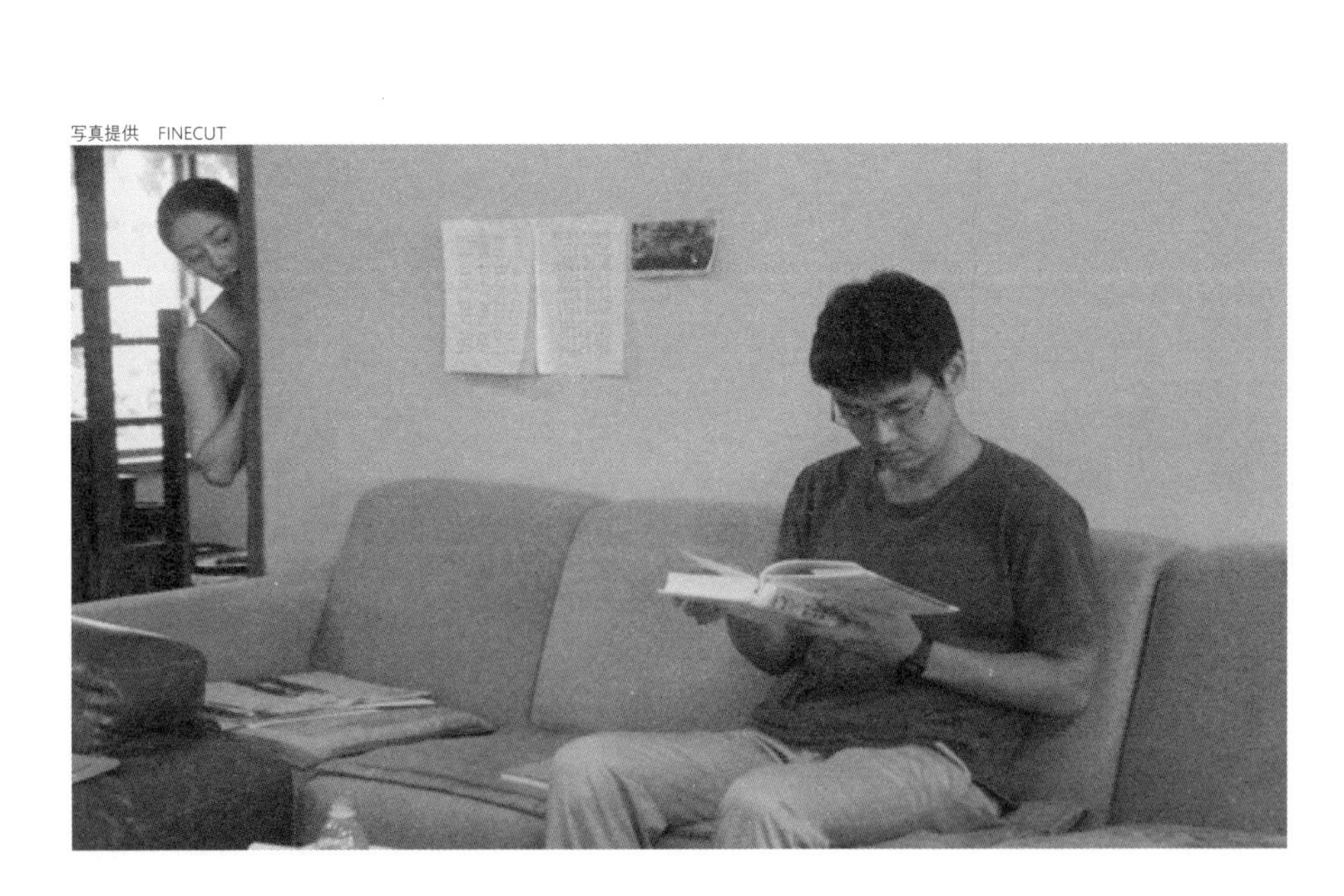

『よく知りもしないくせに』は、世間的にそれほど知名度があるわけではないアート系の中堅監督ク・ギョンナムを主人公に据え、彼が招かれて行う二つの仕事――前半は主人公の故郷でもある忠清北道・堤川の映画祭での審査員、後半は学生時代の旧友が教鞭を執る済州島の大学で開催される自作上映会のトークゲスト――をハシゴしてこなす過程で生じるいくつかのエピソードで構成されている。二つの町でギョンナムが遭遇する男女間トラブルの顚末が126分という長尺のなかにたっぷりと盛り込まれており、2010年代に入ると贅肉を削ぎ落として尺が短くなっていく前の「大作」時代の一本に位置づけられよう。酒癖と女癖の悪い売れない映画監督の姿は、本作の脚本も執筆しているホン・サンスの自画像ならぬ「戯画像」とでも言うべき造形なのだろうが、それに加えて、何度も経験しているはずの「映画祭の審査員」や「上映会のトークゲスト」といった立場のとき、人はどんな行動をするのかについてのディテールの観察が笑うしかないほど意地悪かつ巧みで参ってしまう。

笑うしかないと言ったのは、映画祭関係者の端くれとして筆者もこうした仕事を何度か経験したことがあり、特に前半は「映画祭審査員あるある」がいくつも紹介、いや暴露されているのがよく分かる。肩書に付いている所属映画祭の名称は知られているが個人としてはほとんど無名である筆者のような者でさえ、いざ審査員として招かれるとどうなるか。外国の場合は特にそうだが、審査員は映画の目利きとして尊敬され、現地の人はたいてい審査員個人のことを「よく知りもしないくせに」下へも置かぬ歓待、身に余り過ぎるもてなしをしてくれる。公式行事もカーペット歩行、開幕式典から授賞式スピーチまで、タキシードを身にまとって普段ならありえない華やかな「天国の日々」が続くと、育ちの悪さ、哀しき性でこちらも尊大になる危険が増すわけで、劇中に出てくる審査上映中の居眠り、審査上映をサボった挙句のＤＶＤ視聴での辻褄合わせ、ボランティア・スタッフへのナンパ、呑み過ぎた酒席での暴言暴行、審査員同士の不信感の爆発などなど、夢の舞台の裏側がリアルで辛辣に描出されている。筆者は誓ってギョンナムのように審査業務をテキトーに流したことはないが、ああした光景を身近で見たことがないかと問われると即答に窮する部分もある。つくづくホン・サンスの観察眼の細やかさは尋常でない。

後半の大学の上映会ゲストという立場もまた、自分を律していないと傲慢になりがちな危ういものである。ギョンナムは大学の教室で自作を解説し、格好いい監督というアドバンテージを得て飲み会に突入。ホン・サンス映画ではお馴染みの呑み過ぎた酒席での暴言暴行がここでも展開される。「飲み会あるある」なのだが、いつも感心するのは先輩・後輩・同僚の序列をふまえながらも次第に乱れていく韓国的な酒席の風景のリアリティーである。

筆者の個人的経験との照合はさておくとして、映画監督ギョンナムはその優柔不断さにおいて優れてホン・サンス的な主人公の列伝に連なる人物である。われわれがホン・サンス映画にハマるのは、登場人物のユルい行動に多かれ少なかれ誰でも思い当たるフシがあるからに違いないのだが、こうした説話上のユルさを技法として体現し補強しているのが、ホン・サンス的ズームとしか呼びようのない独特のズームアップである。本作でもあちこちに散見されるこの技法は通常、歌舞伎の「見得」のように決定的瞬間を強調するために使われる。ところがホン・サンスのズームは、決定的瞬間でもないのに、ルーティンの約束ごとのように、「とりあえずやってます」的なテキトーなタイミングで被写体にカメラが寄る。（カメラマンに指示を出しているのだろうか？）

筆者は本作の1本前に撮られた『アバンチュールはパリで』（08）を公開時に論じた際にもズームに言及した。ズームは「何かの節目でもなんでもなく会話の途中だったりするので、観客は進行中のシーンとそれに伴うカメラの動きの『ちぐはぐさ』、つまりズームしたからにはそれに値する何かが起こるはずだと思っていても何も起こらないというズレの感覚とともに映画を観つづけることになる。」「ユルいストーリーに対応しているのは、まさにこのズレたズームアップであり、特異なスタイルではあるものの、実はホン・サンス作品における内容と形式は『ユルくズレて』見事に照応しているのである*。」

　基本的にこの見解は今でも変わっていないが、新しい状況が起こっていることを付記したい。ホン・サンスの影響を受けた次世代が出現しつつあるのだ。中国の新世代監督チウ・ション（仇晟）の『郊外の鳥たち』（18）は現在と過去の二時制を往還する物語だが、現在篇のほうでホン・サンス的ズームを頻繁に使って作品世界を構築しようとしている。これは諸刃の剣で、小津安二郎のローアングル固定ショットと同じく、中途半端に真似すればたちまち「ホン・サンス」と化し、単なるコピーに堕してしまうのだが、チウは果敢に攻めまくって一定の画面構築に成功している。これは一例だが、ホン・サンスの影響がどんな形で顕れるのかを刮目して見ていきたい。

　——と、ここまで書いてきて思ったのだが、映画祭審査員の実態を暴く本作のタイトルは、いつもは審査される側のホン・サンスが放った捨て台詞、カウンター・パンチではないか？　「よく知りもしないくせに」オレの映画に○×付けて審査してんじゃねーよ！

＊石坂健治「マンネリズムの彼岸と成熟」、村山匡一郎＋編集部編『ひきずる映画——ポスト・カタストロフ時代の想像力』フィルムアート社、２０１１年、１８４頁

**石坂健治**（いしざか・けんじ）
日本映画大学教授。東京国際映画祭シニア・プログラマー（アジアの未来部門）。共著に『ドキュメンタリーの海へ』。共編著に『踏み超えるキャメラ』『躍動する東南アジア映画』ほか。

作品論10　ハハハ

# 既成概念を突き崩す話法と人物の魅力

崔盛旭

**ハハハ**　韓国／2010年／カラー／115分
하하하　Hahaha
監督・脚本 ホン・サンス　撮影 パク・ホンニョル　編集 ハム・ソンウォン　音楽 チョン・ヨンジン　出演 キム・サンギョン、ユ・ジュンサン、ムン・ソリ、キム・ガンウ、キム・ギュリ、ユン・ヨジョン、イェ・ジウォン
第63回カンヌ国際映画祭 ある視点部門 作品賞
日本公開2012年11月10日　配給 ビターズ・エンド
ソウルを離れ、カナダ移住を計画する映画監督ムンギョン（キム・サンギョン）は、先輩の映画評論家チュンシク（ユ・ジュンサン）とマッコリを飲むため、近くの山合いで落ち合う。アルコールが回るうち、二人は偶然同じ海辺の町、統営（トンヨン）に最近に行ったことがあると分かり、旅の話題に興じる。同じ場所、同じ時間に、同じ人々と一緒にいたことに気付かないまま、二人の思い出話が記憶のカタログのように展開される。

写真提供　FINECUT

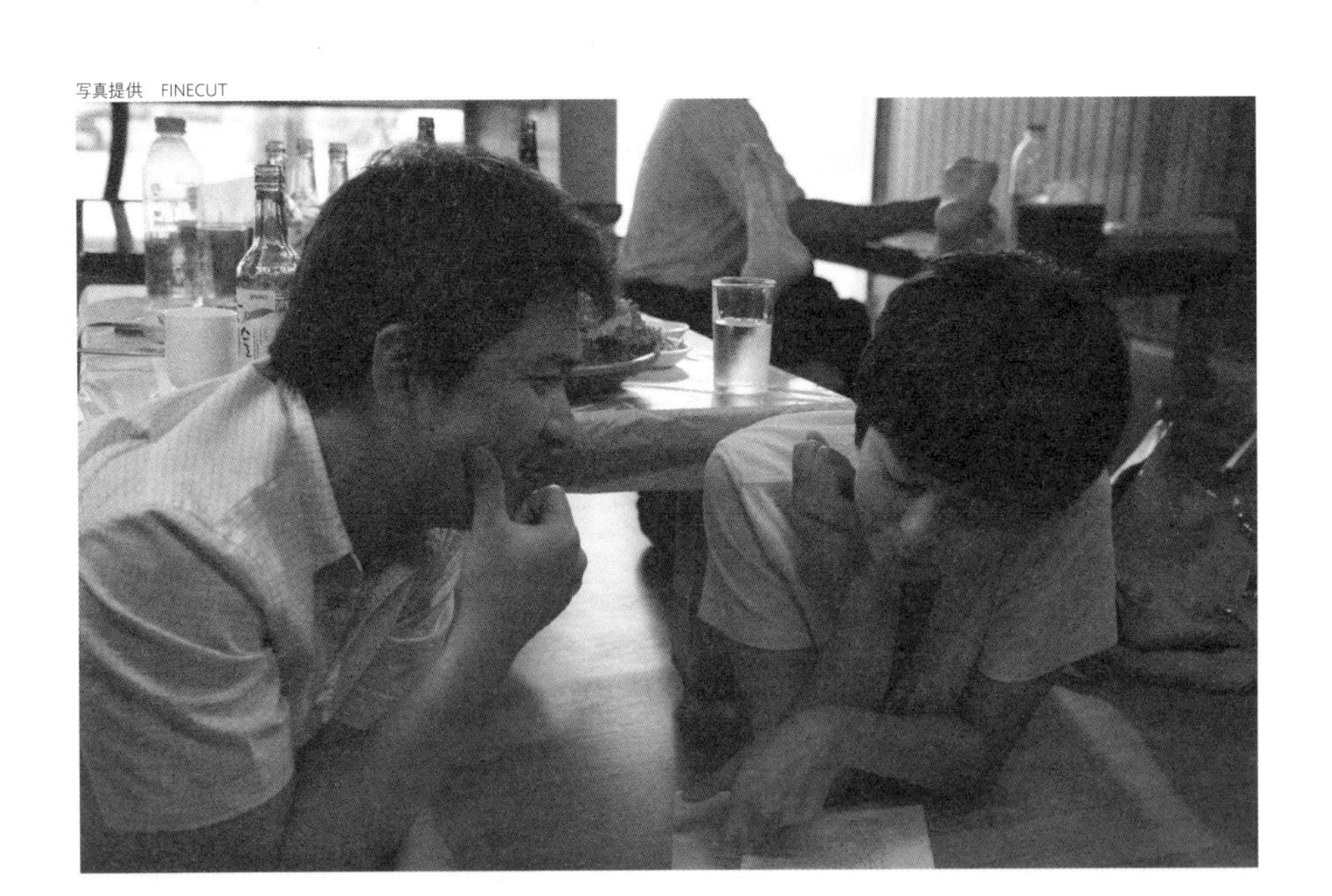

ホン・サンス映画の中でも究極的にふざけたタイトルにふさわしく、本作は二人の男がマッコリを呑み交わしながら、ひと夏の思い出をダラダラと語り合うだけの物語である。酒席の彼らはモノクロのストップモーションで処理され、「乾杯」の声を合図に語り手が入れ替わる構成だ。

　世の中に流通する多くの映画とホン・サンス映画がまるで異なっていることは、誰もが認めるところだろう。ホン・サンス映画では、出来事が因果関係によって成り立っていないために、物語が起承転結の形式を持たず、クライマックスに向かって盛り上がる展開もなければ、そもそもクライマックス自体が存在しない。したがって、目的を持った主人公が直線的に進んでいく物語論の原則は踏襲されず、主人公はただ同じところをぐるぐると回って終わる。登場人物たちに善悪のラベルが与えられることはなく、永遠に終わりそうもないグダグダとした日常の会話を、観客はひたすら見つめ続けることになる。だが物語の既成概念を覆しながらも、最終的には「物語」として見事に成立させてしまう不思議な力が、ホン・サンスには確かにあるのだ。

　物語も登場人物もいつも似たり寄ったりであるにもかかわらず、どの作品も刺激的でくせになってしまうのは何故だろう？　男たちが酒を呑みながら語り合うだけの作品の、何がこんなにも面白いのだろうか？　私が思うホン・サンス映画の最大の魅力とは、「反復」とそこから生じる絶妙な「ずれ」に他ならない。

　本作で、ムンギョンとチュンシクは同じ時間に統（トン）営（ヨン）という同じ空間に存在し、同じ人たちと会っているにもかかわらず、二人は決して顔を合わせることはない。時間や場所が反復される一方でそれらが絶妙にずれていった結果、二つのまったく異なる物語が成立し、彼らはその近接性に気づくことなく、別々の物語を互いに語り合う。そしてこの反復とずれを知っている観客のみが、今にも重なり合いそうな二人がギリギリのところですれ違う様を楽しみながら、二人の物語を統合した第三の物語（映画そのもの）を享受することができる。

二人は一度も顔を合わせることがないものの、同じ場所をぐるぐると巡りながら、ソンオク（ムン・ソリ）、ジョンホ（キム・ガンウ）、ジョンア（キム・ギュリ）といった同じメンバーと時間を共有する。観客はそれが同一人物であることを知っているが、二人の認識ではまったくの別人であり、それは最後まで変わらない。同じ一つのものでも、角度を変えて見ることで、異なるもののように見える可能性はいくらでもある。ソンオクの家の前でチュンシクとジョンホが実存主義について語り合う場面、あるいはチュンシクとジョンホら二組のカップルが、窓の外に見えるホームレスについて議論するところから、実際にホームレスと真近に遭遇する場面などは、同じもの（時間・場所・人物）を異なる認識下で語り合うという、映画全体の構図を浮き彫りにする実に上手い仕掛けである。

このように、ホン・サンス映画において重要なのは、「物語」そのものではなく「それをどう語るか」という話法にあると言えるのだが、ホン・サンスに特有なもう一つの特徴は、登場人物たちの「だらしなさ」である。

ホン・サンス映画の主人公がまるでだらしないダメ男たちであることは、今更言うまでもないだろう。彼らは大抵の場合映画監督で、大学で教えていることも多く、社会的には権威のある立場にある（ただし、スランプに陥っていたり長いこと映画を撮っていなかったりと、彼らが仕事をしている姿は描かれない）ため、立場と実際のギャップがより際立ってくる。本作でも、ムンギョンは映画が撮れずに大学をクビになってカナダへ逃げようとしているし、チュンシクも教授などと呼ばれているが実際のところはよくわからない。本作での彼らのダメっぷりは、他のホン・サンス映画と比べても群を抜いていると言えるが、それはムンギョンと関係を持つソンオクや、チュンシクと不倫関係にあるヨンジュ（イェ・ジウォン）ら女性陣も負けず劣らずのだらしなさを披露していることが相乗効果を高めている。名実ともに韓国芸能界のスターたちが、ここまでどうしようもない人物を演じることの可笑しみが、ホン・サンス映画の魅力の一つでもあるが、果たしてそれだけだろうか。

儒教的伝統の中で形成されてきた男性中心の韓国社会は、他のどの国にも増して男女の間に境界線をひき、男性を特権化してきた。それによって女性たちが抑圧されてきたことはもちろんのこと、男性もまた〝あるべき男性像〟にがんじがらめにされてきたのであり、それは多くの韓国映画における男性像を見ても明らかである。男にも女にも固定化した性役割を押し付けがちな社会と、そこにどうしても追随してしまう映画界にあって、ホン・サンスはそんなしがらみを軽々とはねのけて、キャラクターたちを解放する。彼らは進歩的な思想など持ち合わせていない。ソンオクが熱を上げるジョンホが「海兵隊出身だ」と知るや、ムンギョンは「俺は空挺部隊の出だ」と張り合う。その一方でムンギョンもチュンシクも「泣く・甘える・すねる」といった韓国男子にあってはならない行為を平気で繰り返す。伝統的な価値観の中で偉そうに振る舞い、逞しい男に憧れるものの、現実には思い通りに行かない彼らのありのままを提示するホン・サンスの世界は、大いなる人間賛歌と言えるのではないだろうか。酒を酌み交わしながら「ハハハ」と笑う彼らを描きながらホン・サンスは、世間の押し付けがましい目など「ハハハ」と笑い飛ばせ、と我々観客に優しく語りかけているようにも思える。

**崔盛旭**（チェ・ソンウク）
映画研究者。明治学院大学大学院で芸術学（映画専攻）博士号取得。著書に『今井正 戦時と戦後のあいだ』。共著に『韓国映画で学ぶ韓国社会と歴史』『韓国女性映画 わたしたちの物語』。

**作品論11**　教授とわたし、そして映画

# 人は自分の行動の理由を知らない

北小路隆志

**教授とわたし、そして映画**　韓国／2010年／カラー／80分
옥희의 영화　Oki's Movie
監督・脚本ホン・サンス　撮影パク・ホンニョル　編集ハム・ソンウォン　音楽チョン・ヨンジン　出演イ・ソンギュン、チョン・ユミ、ムン・ソンギュン
第40回ロッテルダム国際映画祭タイガー賞
日本公開2012年11月10日　配給ビターズ・エンド
映画監督のジング（イ・ソンギュン）は恩師ソン教授（ムン・ソングン）の紹介で、母校の映画学科で講師を務めている。ジングは学生時代、同窓の女生徒オッキ（チョン・ユミ）に恋し、彼女がソンと関係を持っていたとは知らずに結ばれた。両者との三角関係を題材にしたオッキの映画が最後に示されて、三人の過去と現在、各自の視点が浮かび上がる。

写真提供　FINECUT

ホン・サンスの映画を論じるうえではそれも有効なアプローチであると僕には思えるので、あえて雑談めいた話から始めると、最近、物忘れがひどくなってきたと感じる。後になって振り返れば、「なぜ?」と思うようなことを平気で忘れ、しばし呆然とする。そんなとき、4つの章で構成され、全編にわたり奇妙な緊張感に支配された『教授とわたし、そして映画』のなかで、最も美しくリラックスできる一編といえる第3章「大雪の後に」で、映画作りを学ぶ学生に対しソン教授が口にする、「人は自分の行動の理由を知らない」が簡潔に的を射た言葉として胸に迫る。

年齢や脳の働きの衰えを物忘れの理由にしたり、日頃の自堕落な生活習慣ゆえだと納得することもできるが、僕にはそれで説明がつくとは思えない。なぜか僕はそれを忘れた、としか言いようのない「理由のなさ」のほうがしっくりくる。そして、それがホン・サンス作品の原理ならざる原理でもあるだろう。本作でいえば、第1章「呪文を唱える日」の冒頭で主人公はなぜ自宅を出る際に意味不明な「呪文」を唱え、その日の夜、穏やかに進んでいた酒席の雰囲気をぶち壊すような言葉を発するのか。それをその男の性格や習慣、酔いのせいにしても仕方がない、と僕は思う。人は理由を知らないままに呪文を唱え、街を彷徨い、酒を飲み、無駄な会話で時間を潰し、喧嘩を始め、恋に落ちる……。ホン・サンスの映画は、いつだって「人は自分の行動の理由を知らない」という、信じたくない人もいるに違いない「真理」を白日のもとに晒すのだ。

エドワード・エルガーの手による行進曲「威風堂々」が場違いなまでに高らかに鳴り響くなか、奇妙な青っぽい画面上に浮かぶ手書きのハングル文字の連なりが第1章のタイトルを示すことで映画は始まる。前述のように4つの章で構成される本作だが、この冒頭のエピソードが――映画を最後まで見届けてはじめてわかることではあるが――時系列的に最後を締めるものとなる。それなりに評価を集める映画作家でありながら、「金の世の中」である現状にあって新作を撮る機会に恵まれずにいることもあり、おそらくソン教授のつてで大学の教員を務めるジングが主人公である。学生への指導を終えた彼は、恩師がその夜に食事会を開くことを知り、理髪店に立ち寄ったり、公園らしき場所でうたた寝をするなど時間を潰すことを余儀なくされる。ところが、そこまでして臨んだ食事会では酔った挙句にソン教授をめぐる疑惑を本人にぶちまけることで、場の雰囲気を気まずいものにしてしまう。

以降の章は主要登場人物それぞれの視点をもとに展開される。第2章「キング・オブ・キス」は引き続きジングを軸とするが、そこでの彼はまだ映画を学ぶ学生で、同級生オッキとの恋愛が主として描かれる。第3章ではソン教授の視点が採用され、大雪の日の翌朝の明るい陽光のもとでの授業の様子が短めに綴られ、第4章「オッキの映画」では、それまでの章を通してソン教授とジングとの三角関係が示唆されていたオッキが作ったとされる映画がそのまま映し出される。だとすれば、同作が出来事の真相を僕らに告げる「結論」であるといえるのか。もちろん、それが映画である以上、疑わしいといわざるをえない。第1章でジングが学生に強めの口調で諭すように、映画において「真実は人為的なものを通じて現れる」のであり、「事実をそのまま描けば真実に到達できると思う」ことは「大きな誤り」であるのだから……。

この時期から「映画監督」を主人公とする作品の数々がホン・サンスのフィルモグラフィを特徴づけるようになる。ただし、そうした設定の映画にありがちな映画の撮影現場を描く作品というわけではない。ジングがその典型であるように、ホン・サンス作品での「映画監督」のほぼ全員が、映画を撮ることができない状態に陥っており、映画を撮る機会をただ「待つこと」に時間を費やす存在である。映画を撮ることができずにいる映画監督とはいかなる存在なのか。それでも彼は「映画監督」であるといえるのか。別の仕事で日銭を稼ぎ、時間を潰す必要に迫られる彼らは、大学教授の職に就くが、結局のところ「映画監督」でも「教授」でもない宙吊りの存在であり、もちろん若い学生たちはまだ「何者」でもない。そんな宙吊りの時間に耐えることこそ、「待つこと」の真意である。第1章で食事会や映画館での舞台挨拶の開始時間を待つジングは、第2章でもなぜか好きになった女性の帰宅を待つことでクリスマスの夜を明かす。第3章でのソン教授は、前日の大雪が原因なのか、始業時間を過ぎても無人のままの教室で学生が来るまで待つ羽目に陥り、そのあいだに自分が教授に向いていないと悟る……。

映画監督は「映画を撮る」ことに自身の存在理由を見出し、他方でそれに縛られるが、それが果たせない境遇に置かれることで、自身の行動の理由を知らずにいる白分に気づかされる。こうしてホン・サンス的存在は、仕事をしないこと、何かの到来をさして真剣にでもなくひたすら待つことを通し、自分が何者かを知る。あるいは、何者でもない自分を生きる。時間を持て余し、退屈を解消するために酒を飲み、愚かな諍いや恋に明け暮れ、物忘れの激しい自分に呆然とする。「人は自分の行動の理由を知らない」。そんなほろ苦い「真理」を受け止め、それでも闇雲に行動を継続させながら、いつの日か退屈さを「解放」の知らせへと転換させること……。忙しい日々を過ごすことに喜びを覚えがちな僕らに、そんな離れ技が果たして可能だろうか？

**北小路隆志**（きたこうじ・たかし）
1962年生まれ。京都芸術大学教授。映画批評。主な著書に『王家衛的恋愛』。共著に『アピチャッポン・ウィーラセタクン　光と記憶のアーティスト』『青山真治クロニクルズ』など。

作品論12　次の朝は他人

# 反復と偶然

伊藤洋司

**次の朝は他人**　韓国／2011年／モノクロ／79分
북촌방향　The Day He Arrives
監督・脚本 ホン・サンス　撮影 キム・ヒョング　編集 ハム・ソンウォン
音楽 チョン・ヨンジン　出演 ユ・ジュンサン、キム・サンジュン、キム・ボギョン、ソン・ソンミ、キム・ウィソン
日本公開 2012年11月10日　配給 ビターズ・エンド
恋愛騒動で雲隠れした監督兼大学教授のソンジュン（ユ・ジュンサン）は、先輩の映画評論家ヨンホ（キム・サンジュン）に会うため、ソウルの北村(プクチョン)に行くが果たせず、昔騒ぎを起こした元恋人キョンジン（キム・ボギョン）を訪ねる。彼女と一夜過ごしたソンジュンは、ヨンホに会いに行き、案内されたバーでキョンジンそっくりのイェジョン（ボギョンの二役）に出会う。断ち切りがたい恋の未練が偶発的な試練に変わる一篇。

写真提供　FINECUT

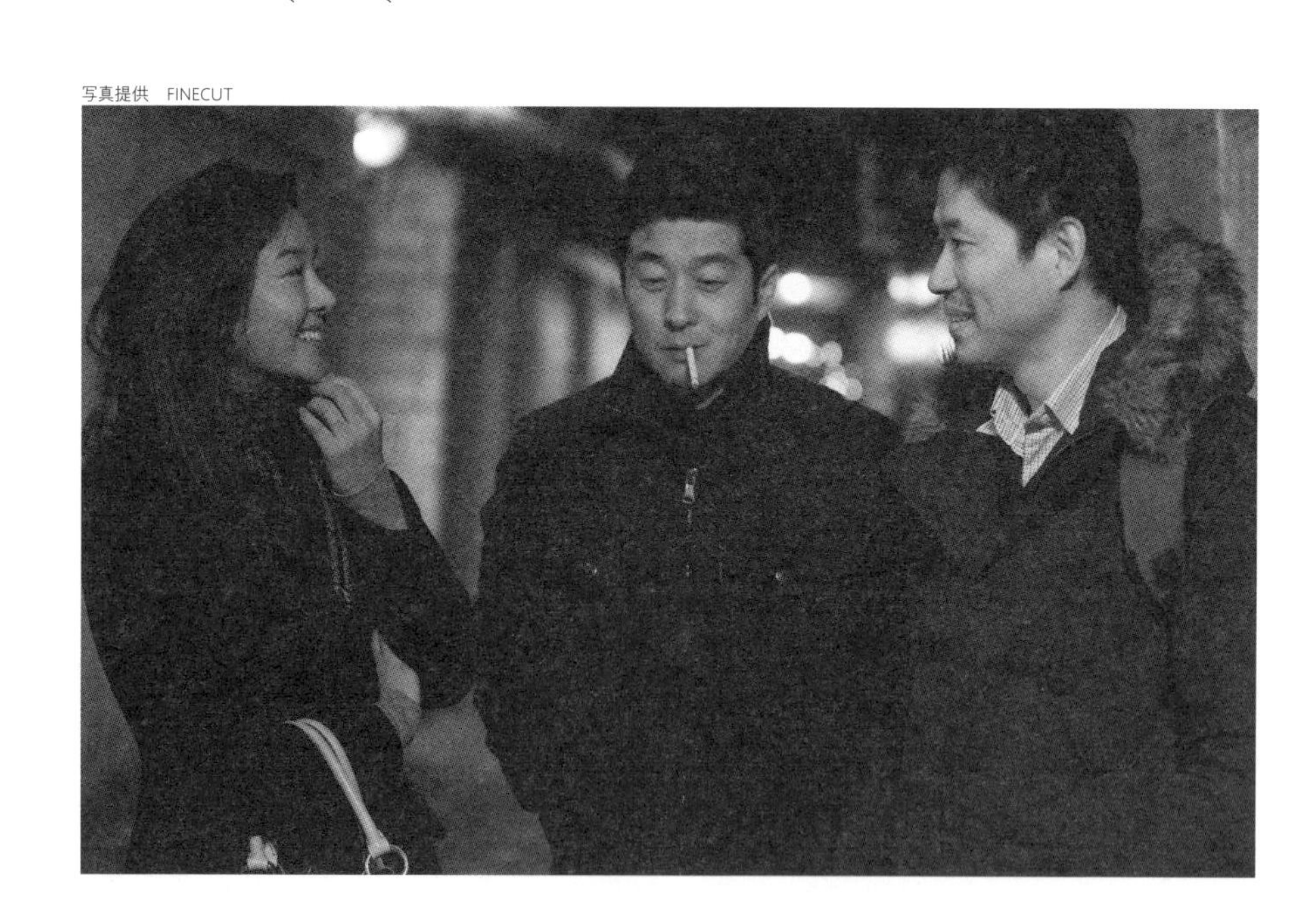

よその街。酒の酔い。行きずりの恋。またしても同じホン・サンスの物語。一本の映画のなかで、男女の似た恋が繰り返され、反復の主題が浮上するのも同じ。だが『次の朝は他人』は、この主題が持つ重要な特質を明示する点で、他の作品と一線を画す。

主人公は映画監督のソンジュンだ。彼は四本の映画を撮った後、二年前にソウルを去り、田舎で暮らしている。映画を撮るのをやめた訳ではないが、当面は監督業に復帰する意志もない。こうなったきっかけは恋愛で、それが大きな騒動になったのだ。そんな彼が冬のソウルを数日訪れることにしたのは親しい先輩のヨンホに会うためで、それ以外は一人で静かに過ごそうと考えていた。だが、到着した日にヨンホと連絡が取れず、ソンジュンは思わず、騒動の相手だった元恋人のキョンジンのアパートを訪れてしまう。女は彼の突然の来訪に驚き、「酔った勢いで来たのか」と訝しむ。「来るべきじゃなかった。長い間我慢してたんだ」と、男は自分の葛藤を曝け出しながら謝る。女も苦悩のうちに男を受け入れ、二人は一夜を過ごす。別れ際に玄関で、「もうお前に会いに来ない」と、男は女のためを思って言う。「私も先生には迷惑をかけない」と女も言う。「愛してるよ。頑張って」と彼は最後に言い、笑顔で別れる。その後、女は我慢できずに何度かメールで愛の言葉を送るが、彼はあえて無視するだろう。一晩の再会の簡潔な描写における台詞や表情、仕草のひとつひとつに、二人のただならぬ過去の重みが感じられる。

ソンジュンはようやくヨンホに会い、女性教授のボラム(ソン・ソンミ)も一緒になって定食屋で夕飯を食べると、三人でバーに行く。遅れて来た女性店主の顔を見て、ソンジュンは動揺する。イエジョンという名のその店主がキョンジンと瓜二つだったからだ。翌日の夜も彼らは同じバーに行く。ソンジュンが店の外で煙草を吸っていると、イエジョンが出てきて、買物に行くというので、彼も同行する。

その帰りに、男は女を抱き寄せてキスをする。この時、白黒で撮られた夜道に舞う雪が素晴らしい。さらにその翌日も三人組は同じバーに行き、ソンジュンとイェジョンはまたも二人で買物に出て帰り道でキスをする。そして三人がいったん店を出た後、ソンジュンは一人でバーに戻り、女性店主と一夜を過ごす。二人の感情の高まり方は急激で、本物の恋人同士になるように見え、実際にそんな言葉もかわされる。だが、翌朝の別れの場面になると、「俺たち、会わないほうがいい」と男は言う。「あなたを思い出しながら暮らすわ」と女は返す。「ありがとう」と言い、「あなたが我慢できるかどうか、そのほうが心配ね」とさえ言いながら男を送り出す女の表情から、彼との一夜の経験が彼女にとって決して後悔すべきものでなかったことが分かる。勿論、異性との一夜限りの関係を繰り返す男の行動を不快に思う観客もいるだろう。だが、今回の別れという結論自体は自然なものではないか。ソンジュンがイェジョンに惹かれたのは彼女がキョンジンと瓜二つだったからで、人間性もほぼ知らずに惹かれたのだった。彼が本当に愛しているのはキョンジンで、イェジョンは言わば彼女の代理にすぎない。お互いに強く惹かれ合いながら、キョンジンとの関係を断念したばかりのソンジュンが、他の女性とすぐに恋愛関係を築ける筈がない。新たな恋愛をするには、彼にはまだかなりの時間が必要なのだ。

切ない男女の物語だが、ホン・サンスはそんな物語を端正に語るだけでは満足しない。瓜二つの女性との一夜の関係の繰り返し。映画はこの反復にいくつもの別の反復を重ねる。定食屋で夕食を食べ、その後でイェジョンのバーに行くという行為が三度行なわれ、夜道でのキスが二度行なわれる。さらに、ソンジュンは昼の路上で、同じ親しい女優に三度会う。しかも、登場人物たちが反復について語る場面がある。ボラムが二〇分の間に四人の映画関係者と次々と会ったと語り、変だと言う。ヨンホは「偶然だろ」と言い、自分も「ある人と偶然一日四回会った」と返す。彼女は納得せず、「理由が知りたいわ」と言う。すると、「理由はないですよ。人生は理由のないことの集合体なんです。そのなかから人間が選んで理由という思考の線を作る」と、ソンジュンが答える。彼の主張は、ヒュームが『人間本性論』で、因果性を人間の認識の問題とみなしたことよく似ている。理由という思考の線は人間の認識にすぎず、その因果性の系列が真実である保証はどこにもない。

こうして映画は単なる男女の関係の物語ではなく、反復と偶然についての考察になる。この側面はラストでさらに強調される。ボラムが経験したように、ソンジュンもラストで次々と映画関係者に出会う。これぞまさに理由のない偶然の反復だ。だが、何故ホン・サンスはこうしたラストを切ない男女の物語の最後に置いたのだろうか。ソンジュンの女性たちに対する行動を誠実なものと捉えることもできるし、彼の行動を軽薄だと非難することもできる。だがいずれにせよ、観客は彼と彼女たちの本当の関係を知らずに、思考の線を作って判断しているのだ。それにもし仮に全てを知りえたとしても、理由のない反復に満ちた人生、理由のないことの集合体としての人生に何か確かな判断を下すことなどできるのだろうか。こうして、反復と偶然の主題は男女の切ない物語に思いもよらぬ光をあてることになるのだ。

**伊藤洋司**（いとう・ようじ）
1969年生まれ。中央大学教授。パリ第3大学文学博士。著書に『映画時評集成2004-2016』。共著に『青山真治クロニクルズ』『レオス・カラックス　映画を彷徨う人』など。

作品論13　3人のアンヌ

# 軽妙洒脱な話法のエチュード

堀　潤之

**3人のアンヌ**　韓国／2012年／カラー／89分
다른나라에서　In Another Country
監督・脚本 ホン・サンス　撮影 パク・ホンニョル、チ・ユルジョン　編集 ハム・ソンウォン　音楽 チョン・ヨンジン　出演 イザベル・ユペール、ユ・ジュンサン、チョン・ユミ、ユン・ヨジョン、ムン・ソリ、クォン・ヘヒョ、ムン・ソングン、キム・ヨンオク
日本公開 2013年6月15日　配給 ビターズ・エンド
映画学校の学生ウォンジュ（チョン・ユミ）は、母親（ユン・ヨジョン）と共に債権者を逃れてモハンに滞在するおり、フランス人女性アンヌを主人公とする3つの映画脚本を書き始める。いずれも、この海辺の町に休暇に来たアンヌ（イザベル・ユペール）が地元のライフガード（ユ・ジュンサン）と出会うひと夏の物語だが、アンヌの役柄は映画監督、自動車会社重役の妻、離婚した主婦と変奏され、同じ顔ぶれ、同じ状況、同じセリフが登場するなか、文脈や表現の異なる不倫の物語が紡がれる。

写真提供　FINECUT

「何一つ変更を加えず、かつすべてが違ったものとなるように」。かつて『田舎司祭の日記』(51)を見て物語映画に開眼したというホン・サンスは、ロベール・ブレッソンが『シネマトグラフ覚書』(松浦寿輝訳、筑摩書房、一九八七年、一九三頁)に書き付けたこの撞着語法による格言にあたかも導かれたかのように、自身の映画において同一性と差異の戯れを演出してきた。たとえば長篇第3作の『オー！スジョン』(00)では、前半と後半で主人公の男女それぞれの視点から物語が語られ、同じ出来事が微妙な差異を伴って反復されるので、その差異が垣間見せるコミュニケーションの断絶にうすら寒さを覚えたものだった。こうしたストーリー構造は、フランスから大女優イザベル・ユペールを迎え、多くの台詞が平易な英語で交わされる本作『3人のアンヌ』では、より洗練された軽妙洒脱さへと至っている。フランスからやって来たアンヌという女性を主人公とする、ほとんど同じでありつつ大きく異なる三つのエピソードが、冒頭に登場する映画学校の女子学生ウォンジュが書いている脚本の複数のヴァージョンとして、つまり一種のパラレルワールドとして提示されることもあって、観客は登場人物たちの心理に深入りすることなく、エピソード間の差異の戯れを純粋に楽しむことができるのだ。

もちろん、海辺の街のごく限られたロケーションで展開される三つの物語が、単に形式的な実験の口実であるわけではないだろう。青いシャツにジーパン姿の第一のアンヌは成功を収めた映画監督で、友人の映画監督ジョンス(クォン・ヘヒョ)の性的な誘いをきっぱりと断り、陽気で風変わりなライフガードとのロマンスに至ることもない。赤いワンピースを着た第二のアンヌは、愛人の映画監督スー(ムン・ソングン)と密会するために海辺の街にやって来て、大幅に到着が遅れるその愛人をひたすら待ちわびながら夢想に耽る人妻であり、ライフガードの誘いを一顧だにしない。緑の柄物のワンピースをまとう第三のアンヌは、韓国人女性に夫を取られてしまった傷心を癒すために、友人の民俗学者（ユン・ヨジョンがウォンジュの母親との二役で登場）に連れられてこの海辺の街を訪れる。彼女は坊主（著名な哲学者であるというキム・ヨンオクが演じている）と禅問答のようなやり取りを交わし、しまいには酩酊して浜辺をさまよい、ライフガードの誘いにあっさりと応じることになる。ホン・サンスはこのように、自立した女性から、愛人への依存状態にある女性を経て、ほとんど自暴自棄に陥る女性まで、「3人のアンヌ」の巧みな書き分けを行って、人間観察の鋭敏さを示している。

　とはいえ、本作の魅力の多くはやはり、物語内容というよりもむしろ話法によってもたらされる。たとえば、アンヌはどのエピソードでも、ペンションのオーナーの娘（脚本を書く映画学生と同じチョン・ユミが演じている）と一緒に出かけたり、右折の矢印が書かれた分かれ道に差し掛かったりするが、それらの出来事がほぼ同一の構図で反復されるからこそ、私たちは傘の有無や服装の組み合わせの違いとか、アンヌの行き先や足取りの違いといったちょっとした細部に惹きつけられる。デイヴィッド・ボードウェルは初期のホン・サンス作品のナラティヴ構造に「過酷な記憶力テスト」という側面を見て取っているが（"Beyond Asian Minimalism: Hong Sang-soo's Geometry Lesson," in Huh Moonyung, *Korean Film Directors: Hong Sang-soo*, Seoul Selection, 2007）、本作の観客はそのほどよく和らげられたヴァージョンを課せられていると言ってもいいかもしれない。映画の末尾で、焼酎を飲み干したアンヌが瓶を砂浜に投げ捨てるときにも、観客はただちに冒頭の砂浜に登場していた割れた焼酎の瓶を思い出すだろう。相互に独立しているはずのエピソードを跨ぐことで観客に心地よい驚きをもたらすこのような仕掛けは、第二のアンヌが道端に隠した傘を、やはり映画の末尾で第三のアンヌがさっと取り出す魔法のような瞬間に最大の効果を発揮する。忽然と登場した傘を差して画面奥に悠々と歩き去っていくアンヌの姿は、映画を締め括るのにまことにふさわしく、脚本を書く女子学生の枠物語に回帰しなくても違和感を感じることはない。

ところで、ユペールは監督からルイス・ブニュエルの自伝『映画 わが自由の幻想』(矢島翠訳、早川書房、一九八四年)を渡されて、撮影中に読み進めていたという(劇場パンフレットに訳出された撮影日誌「異邦の地で」による)。その話を聞くと、第二のアンヌはたしかにブニュエル的世界を生きているようにも思えてくる。不意に登場するヤギを見てその啼声を真似するアンヌは、すでに夢想に耽っているのだろうか。あっさりと見つかったらしい灯台の前にたたずむアンヌのもとに、仕事で遅れるはずのスーがサプライズで姿を現すシーンはすぐに幻想と判明するが、続く一連のシーン――アンヌはペンションにやって来たスーと一緒に、置き忘れた携帯電話をライフガードのテントまで取りに行くが、些細なことでスーと口論になる――もどうやら夢だったらしい。とすると、エピソードの末尾で、灯台を探しに行ったアンヌのもとにようやくスーが登場するその後の展開も、現実の出来事である保証はないだろう。本作でホン・サンスは、自身が最初期から育んできた話法をよりいっそう垢抜けさせ、そこに現実と夢の審級を曖昧にするブニュエル的なスパイスをも加えている。見事な話法のエチュードと言うほかない。

**堀 潤之**(ほり・じゅんじ)
映画研究・表象文化論。関西大学文学部教授。著訳書に『映画論の冒険者たち』『ゴダール・映像・歴史』『越境の映画史』(いずれも共編)。『アンドレ・バザン研究』全6号を共同編集。

作品論14　ヘウォンの恋愛日記

# 日記と夢のはざまに幽閉されるヒロイン

相田冬二

**ヘウォンの恋愛日記**　韓国／2013年／カラー／90分
누구의 딸도 아닌 해원　Nobody's Daughter Haewon
監督・脚本 ホン・サンス　撮影 パク・ホンニョル、キム・ヒョング　編集 ハム・ソンウォン　音楽 チョン・ヨンジン　出演 チョン・ウンチェ、イ・ソンギュン、ユ・ジュンサン、イェ・ジウォン、キム・ジャオク、キム・ウィソン、ジェーン・バーキン
日本公開 2014年8月16日　配給 ビターズ・エンド
映画学科の学生ヘウォン（チョン・ウンチェ）は、カナダに移住する母（キム・ジャオク）と西村で会った後、一度不倫関係を絶った大学教授ソンジュン（イ・ソンギュン）と会う。居酒屋で気まずい夜を過ごした二人は、後日、南漢山城でも痴話喧嘩をする。数日後、ヘウォンはアメリカの大学教授（キム・ウィソン）に求婚され、友人の不倫カップルと出会う。日記と夢、土地の記憶が混ざり合う地平にヒロインの存在が浮かぶ一篇。



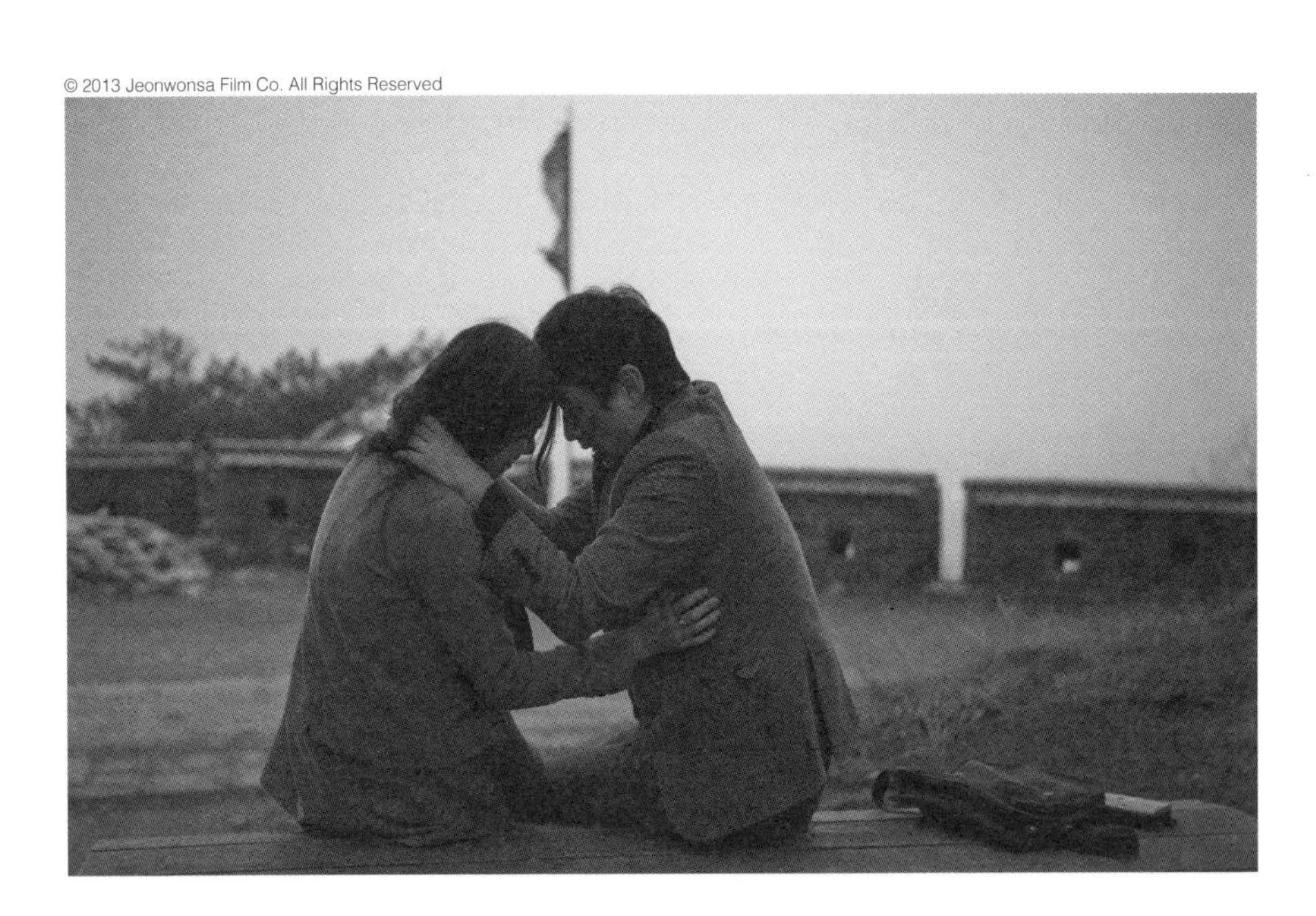

路上に投げ捨てられた吸い殻のように、ヘウォンの日記は紡がれる。そして、夢もまた等価のなにかとして、捨てられていく。

ヘウォンは二度、路上の吸い殻を踏み潰す。もちろん、火を消すためだが、煙草を捨てるなんて、という吐き捨てるようなモノローグが意味しているように、それは忌々しい存在なのだろう。その吸い殻は、彼女を見初めた男が投げ捨てたものである可能性がある。というより、その可能性を暗喩として、映画は、最小単位で配置している。

大きすぎる銅像（だが、どんな銅像も、大きすぎるものではなかったか。そもそも、本人が関与しようとしまいと、功績やら存在意義やらの自己主張が銅像なのだから、現実のスケールに関係なく、銅像は大きすぎるものなのである）が、何度か映し出されることとも相まって、吸い殻の反復は、観る者の心象に残る。

だが、それがどうした。

と言わんがばかりの様子もまた、ホン・サンスの映画の特色である。

たとえば、銅像は神の象徴なのだ、というようなもっともらしいことが言えなくもない。

この、愚かな人間どもの、愚かな関係性、くっついたり離れたりを繰り返す、終わりなきリレーションシップを、あの銅像は見つめてきた。守護するわけでも、罰を与えるわけでもないが、愚かな者たちを放置するように、そこに立っていた。

とかなんとか。

それと同じように、路上に投げ捨てられている吸い殻に、なんらかのメタファーを見出したくもなる。

だが、それは、ホン・サンスの策略なのだろう。思わせぶりなサインを送って、相手をその気にさせるプレイボーイや悪女のようだ。

こっちがその気になったと見るや、ひょいとそっぽを向いてしまう。ツンデレならぬ、デレツンである。

だから、こうした映画人格に付随するものとして、この監督が散りばめている記号には対処したほうがいい。

すべては、デレツン男のエサなのである。

ホン・サンスは第2作『カンウォンドのチカラ』(98)の頃から、こんなことを続けている。あの時は、金魚がエサだった。金魚がエサなんて、一周まわって巧妙すぎる。悪い男だ。

だが、このエサが美味しすぎるのだ。

だから、それがエサだと知りつつ、そのエサが忘れられなくなり、ついつい、追いかけてしまう。

これって、何かに、似ていないか。

おそらく、ホン・サンスは恋を描く作家ではなく、映画と観客の関係を【恋化】してしまう錬金術師なのだ。

だから、主人公ヘウォンの、軽く腐れ縁的な不倫を描く『ヘウォンの恋愛日記』(この邦題は優れて批評的である。嘘もカムフラージュもなく、まさにその通りだが、「恋愛日記」なるものの幻惑性が可視化されており、結果的に観客はミスリードされてしまう。ホン・サンスの映画にミステリーは微塵もないが、わたしたちは彼の作品を「読む」時、半ば積極的にミスリードされにいっている」事実を忘れずにいたいものである)には、まるで映画作品と不倫しているような気持ちにさせられる、高度な屈折がある。

物語そのものは陳腐であり、人物造形にも深みはない。いやむしろ、意図的に、浅はかにしている。

ヘウォンの不倫相手である映画監督=大学教授(この二重性を、かつてのホン・サンスは偏愛していた。キム・ミニとの公私にわたる関係性を確立してからは、こうした二重性は薄れている。現実が二重化したからかもしれない)は、あまりに一方的で自分勝手なマッチョイズム(これもかつてのホン・サンス映画の特徴だった)を振りかざす。女性主人公だからこそ、硬直した男性心理を糾弾していると言えなくもないが、しかし、あまりに唐突で素っ頓狂な怒りをヘウォンに対して投げつけるので、面食らう。あれは、喜劇を通り越して、ほとんど暴力だ。映画によるハラスメントと言われかねないスレスレ感が、インテリの優雅な知的遊戯（と思われがちな構造なのだ、ホン・サンス映画は）をクラッシュさせる。

あれは自虐ですらなく、事故のようなものである。こうした一種の気付け薬を随所に忍ばせながら、日記と夢との間を行ったり来たりしながら、どっちが日記でどっちが夢なのかわからなくなるよう「乳化」させながらホン・サンスは、あれよあれよという間に、普遍的（かもしれない）な情景と感慨に辿り着く。

他愛のない会話のやりとりの末に、永遠でもなく断絶でもない、絶妙に宙ぶらりんな結末が訪れる。

愛着にも、体温にも、さほどの意味はない。そんな真実が、厳しくも優しくもない、適当な塩梅で、見つめられる。

それは、理屈ではない。理屈などであるはずがない。

ヘウォンを一途な女などと規定することもないホン・サンスは、相手の男がどんなに不条理な振る舞いをしたとしても、それでも関係性は存在している、と放り投げる。そして、彼女に、新しい出発など用意せず、日記と夢のはざまに幽閉する。

旗は風を可視化するからいいよね。そんな突拍子もない口説き文句にヤラれてしまっていたことを、わたしたちは不意におもいだす。

**相田冬二**（あいだ・とうじ）
書籍『作家主義ホン・サンス』にて作品論を11本執筆。『イントロダクション』劇場用パンフに作品論を寄稿。『カンウォンドのチカラ』『オー！スジョン』劇場アフタートークなども。

## 作品論15　ソニはご機嫌ななめ

# ソニはあなたたちのもの
# じゃないから

狗飼恭子

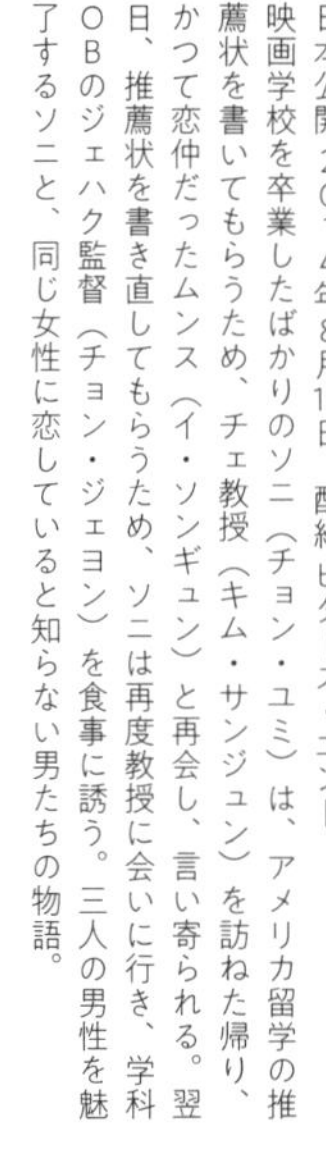

**ソニはご機嫌ななめ**　韓国／２０１３年／カラー／88分
우리 선희　Our Sunhi
監督・脚本 ホン・サンス　撮影 パク・ホンニョル　編集 ハム・ソンウォン　音楽 チョン・ヨンジン　出演 チョン・ユミ、キム・サンジュン、イ・ソンギュン、チョン・ジェヨン、イェ・ジウォン
第12回ロカルノ国際映画祭 監督賞
日本公開 ２０１４年８月16日　配給 ビターズ・エンド
映画学校を卒業したばかりのソニ（チョン・ユミ）は、アメリカ留学の推薦状を書いてもらうため、チェ教授（キム・サンジュン）を訪ねた帰り、かつて恋仲だったムンス（イ・ソンギュン）と再会し、言い寄られる。翌日、推薦状を書き直してもらうため、ソニは再度教授に会いに行き、学科ＯＢのジェハク監督（チョン・ジェヨン）を食事に誘う。三人の男性を魅了するソニと、同じ女性に恋していると知らない男たちの物語。



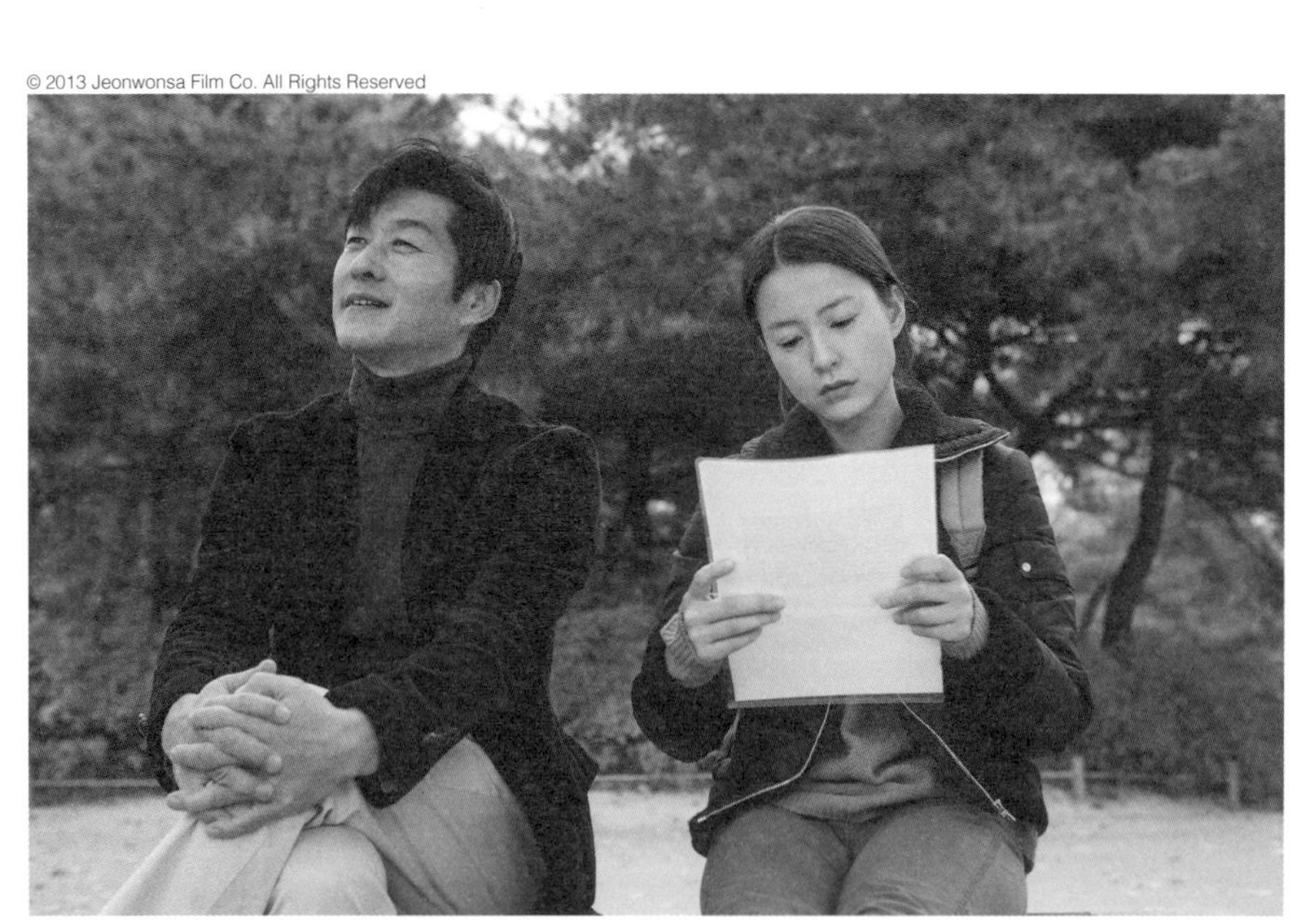

ソニは、とにかく機嫌が悪いのである。

確かにソニの行動だって褒められたものじゃない。飲みすぎだし抱きつくべきじゃないしキスするべきじゃなかった。でも、そんな気分になっちゃうのはしょうがなくない？　わたしにはソニの行動原理が全部理解できる。だから余計不思議なのだ。男たちが声を揃えてソニを「分からない子」だと言うことが。

２０１３年公開の映画『ソニはご機嫌ななめ』の韓国語タイトルは、直訳すると『わたしたちのソニ』になる。英語タイトルも『Our Sunhi』だ。なのにどうして邦タイトルだけこんなに違うんだろう？　なんてそんなことを思考の斜め上辺りに置きつつ、この映画について考えてみる。

主人公のソニは二十代後半。映画を作るという目標があり、アメリカへ映画留学に行きたいと考えている。映画を作りたい、留学したい、勉強したい。それがソニのしたいことだと冒頭で明言される。その夢をかなえようと、大学教授のチェに留学のための推薦状を頼むところからこの物語は始まる。

チェ教授はソニに言う。

「君は一年間、行方不明だったらしいね」

ソニとしてはちょっと連絡を取らなかっただけだからまったく心外なのだけれど、曖昧に微笑んで見せる。なんか気に障るけれど口角をあげるあの感じ。ああ知ってるその感覚。お説教じみたつっまんない話（曰く「辛くても人と共に生きる方法を学ぶべきだ」）を聞きながら愛想笑いでやり過ごす。推薦状を書いてもらうためだからしょうがないのだ。観ているだけでじわじわ心が削られる。

チェ教授だけでなく、自分が上の立場であることに気付かずに若い女性であるソニに「冗談」を言う男が冒頭にもう一人現れる（この男とは利害関係がないのでソニはがんがん文句を言う）。ソニを不機嫌にさせるかけらは、最初から幾つも投げつけられている。

むかついたソニがやけ酒を飲んでいるときに出会うのは、元・恋人のムンス。その後、先輩である映画監督ジェハクにも会う。三人の男は揃いも揃って、ソニと「どうにかなりたい」と思っている。いやもっと言ってしまえば、ソニにとって自分は特別な男だと思いこんでいるのである。

「わたしのソニ」×3＝『わたしたちのソニ』。韓国タイトル・英語タイトルの意味のとおりだ。つまりこれは三人の男の目線でつけられたタイトルなのだ。

では『ソニはご機嫌ななめ』は誰目線なのか？「ソニは」とある以上ソニ目線ではないし、ソニに焦がれる三人の男は、ソニの機嫌が悪いことに気付いていない。ソニのことを云々語りたがるわりにソニそのものの感情は無視している。

ソニをめぐる三人の男、チェ教授、ムンス、ジェハク先輩はおそろしく似通っている。男1、男2、男3という役名にしても問題ないんじゃないかというレベルだ。他者と話すのは好きだが他人に興味がなくて、自分の話ばっかりして、自分は頭がいいと信じ込んでいて、「可愛い」が最高の誉め言葉だと思っている。ここまで読んで耳が痛い人もいるかもしれない。わたしもこういう男の人にはたくさん会ったことがある。

ようするに彼らはとてもよくいる「男」である。男たちはみんな同じようなことを同じような言葉使いで話しまくる。ソニを口説くときの第一声は決まって「可愛い」だ。「俺の人生でお前ほど可愛い女を知らない」なんて大袈裟が過ぎる。これは見た目だけのことじゃないよね？　中身を含むよね？　まさかそこまで薄っぺらくないよね？　と不安になるが、たぶん男たちが言う「可愛い」は本当に表面上のことなのだろう。なぜなら三人が三人とも、「ソニが何考えているか分からない」と言うからだ。「何考えているか分からないから」好き、って、そんなのある？　考えていることに共感するから、あるいは自分と違う考えを理解したいから、だから人は人を愛したりリスペクトしたりするのではないだろうか。男たちは三人とも、ソニが何を考えているかを知ろうとしていないだけだ。ソニがしたいのは映画作りであり恋愛ではないってことにも気付かない。ようするに彼らはソニを舐め腐っているのだ。

ソニの機嫌が良いわけがない。

そうか、『ソニはご機嫌ななめ』は、この映画の観客である「わたし」の視線なのだとようやく気付く。その瞬間この映画に出てくる「あるある」たちが余計に身につまされて、お酒を飲みながら聞いた親友の語る話のようにも思えてくる。もちろんチキン付きで。

『ソニはご機嫌ななめ』、最高のタイトルじゃないか。

この映画には実景描写がほとんどない。心に残るのは王宮の紅葉ぐらいだ。紅葉は美しいがすぐに色を変える。気づかぬうちに。

そんな中を、ソニのいいところ（その並べられる美辞麗句の薄っぺらさよ）を語りながら歩いていく三人の男たちの後姿はみな似通っていて、やっぱり男1男2男3にしか見えない。きっともう、ソニは彼らの前には現れない。

ソニは行く。ソニをご機嫌してくれる世界――彼女の夢の先にある場所へ。

ソニ自身のものであり続けるために。

**狗飼恭子**（いぬかい・きょうこ）
作家。脚本家。恋愛をテーマにした創作で知られ、近刊に『一緒に絶望いたしましょうか』、最新の映画脚本に『エゴイスト』がある。幻冬舎ウェブサイトでエッセイ「愛の病」を連載中。

作品論16　自由が丘で

# ジグソーパズルとしての映画

鈴木治行

**自由が丘で**　韓国／２０１４年／カラー／67分
자유의 언덕　Hill of Freedom
監督・脚本 ホン・サンス　撮影 パク・ホンニョル　編集 ハム・ソンウォン　音楽 チョン・ヨンジン　出演 加瀬亮、ムン・ソリ、ソ・ヨンファ、キム・ウィソン、チョン・ウンチェ、ユン・ヨジョン
日本公開 ２０１４年12月13日　配給 ビターズ・エンド
日本人のモリ（加瀬亮）はソウルに来たが元恋人のクォン（ソ・ヨンファ）に会えず、書いた手紙の束を封筒に入れて、かつて一緒に働いていた語学学校に預ける。封筒を手にしたクォンが誤って手紙を散乱させ、順序知らずに読み進めるなか、桂洞（ケドン）に滞在するモリとカフェ「自由が丘」の女主人ヨンソン（ムン・ソリ）との逢瀬や、市井の人々との交流がアトランダムに示される。吉田健一の著作『時間』にインスパイアされた一篇。

ホン・サンスの16本目の監督作『自由が丘で』は、67分というコンパクトな時間の中に錯綜する時間体験が軽やかな手つきで詰め込まれた映画である。ここで「錯綜する」というのは、出来事としての事件が次々起こり、多くの登場人物が入り乱れ、場面が複雑に展開するという意味においてではない。むしろ逆にこの映画の登場人物は限られているし、大した事件も起きはせず、物語的にもシンプルな作品だ。しかし、ホン・サンスはある操作を施すことによって、そのシンプルさを複雑な体験に変えてしまった。

日本人のモリが、かつての韓国人の恋人クォンに会いにソウルにやってくる。滞在予定は2週間。しかし彼女となかなか会うことができない。メモを扉に挟んでおいて、何度も確認に行くのだがそれが読まれた形跡がない。もしかしたらもうここには住んでいないのかもしれない。その滞在の間、彼は自分の体験を手紙に書き綴る。それはやがてまとまった量となり、彼女の元に届くのだが、ここでアクシデントが起きる。その手紙の束を彼女はうっかり落としてしまい、順序がバラバラになってしまうのだ。慌てて拾い集め、読み始める彼女。この時、拾い忘れた1枚がズームによって強調される。この失われた1枚が後に効いてくるのだが、その話は後ほど。これ以降、この物語は彼女が読むモリからの手紙として描写されるが、バラバラになった順序のまま読み進められるため、出来事の時系列が狂ってしまっている。ただしそのことは明瞭には示されず、映画はそ知らぬ顔で進行する。何かがおかしいとどこで気づくかは人によってまちまちだろう。その早い兆候は、たまたま入った喫茶店「自由が丘」を経営するヨンソンが、モリに飼い犬を助けてくれたお礼を言う場面に現れる。犬を助ける場面なんてあったっけ? そう、そんな場面はここまでどこにもなかった。と思っていると、犬を助ける場面はこの後に現れる。しかしこれだけでは単なるフラッシュバックに過ぎない可能性もある。つまり後から回想しているというわけだ。ではこれはどうか。モリが、いつも持ち歩いて読んでいる吉田健一『時間』の内容を彼女に説明して聞かせる。しかしその後再びモリと再会したヨンソンは、彼の持っている『時間』を見て「今度詳しく教えて」と言うのだ。さっき説明されたのに？　これをもフラッシュバックと解釈するのはさすがに無理がある。そもそもこれをフラッシュバックで描写する理由がない。こうした違和感が次第に蓄積されていき、人はやがてこの映画の時系列が狂っていることを確信するに至る。ちなみにモリが手にするこの『時間』はホン・サンスの指定ではなく加瀬亮が選んだということだが、その骨子は「時間に実体はない、人間の脳が、過去から現在、現在から未来へと時間が流れているという概念を作った。しかし人類は、必ずしも時間の流れに沿って人生を体験する必要はない」というもので、まさに時間をシャッフルしたこの映画の時間体験のありようのアナロジーになっている。

時系列の攪乱以外に、現実感を失調させる手管として導入されるもう一つの手段が「夢」である。映画前半では、かつてクォンと訪れたという水辺の場面でのモリを呼ぶ女の声が、亡霊のような声質と水辺の象徴性によって忘れがたい印象を残すが、後半にはもっと大きな夢落ちが用意されている。それまでずっと、手紙を読む姿がときどきインサートされるという形で登場していたクォンが、ついに行動に出る。モリが韓国にやってきてから1週間遅れで手紙を読んだクォンが、モリの滞在するゲストハウスを訪れるのだ。ここからの展開は、もはやクォンが手紙の読み手ではない以上手紙の描写であるわけはなく、つまり現実として提出されている。そしてついにモリはクォンと再会し、二人は連れ立って日本に帰国、子も為し幸せな家庭を築くかと思わせてのまさかのどんでん返し。しかしそれを失われた幸せの幻として嘆いているわけではなく、あり得たかもしれないもう一つの人生の夢として淡々と提示するのがホン・サンスの人生観なのだ。
そして最後に、拾い忘れた手紙の1ページの件だが、ときどきそんな場面あったっけ、という話が出てくることがある。どんな映画にも描写の省略は普通にあるのだから、これもその一つなのかもしれないと思ってはみるものの、どこかの1ページが欠落していることを人は既に知った上でこの映画を見ているので、それにしてもこんな大事なエピソードを省略するとは思えない、このエピソードこそ欠落したページに書かれていたに違いない、と推理するに至る。例えば、ゲストハウスのオーナー、ユン(ユン・ヨジョン)の、モリが悪い男と戦ったことを讃える発言があるのだが、映画にそのような描写はない上に、これが省略されるようなエピソードとは思えないので、これは欠落したページに書かれていたことではないかと推測できる。その悪い男とは、ヨンソンの浮気性の彼氏だったのではないか、などと過去の会話から想像は糸をたぐるように膨らむ。こうして、見る者はバラバラの時系列の出来事のピースをジグソーパズルのように組み立て、元の物語の脳内修復を試み、更に欠落したピースをも想像力で補いながら映画を体験する。このように、もともとはシンプルであったはずの素材を、乱反射する想像力の錯綜体験として甦らせたのが『自由が丘で』という映画なのである。

**鈴木治行**(すずき・はるゆき)
作曲家。室内楽曲『二重の鍵』で第16回入野賞。映画『M/OTHER』の音楽で第54回毎日映画コンクール音楽賞。演劇、美術、映像作品に共同作業で参加するなか、芸術全般の批評を執筆。

**作品論17**　正しい日　間違えた日

# 監督を新たな領域へと誘ったミューズとの邂逅

川口敦子

**正しい日　間違えた日**　韓国／2015年／カラー／121分
지금은맞고그때는틀리다　Right Now, Wrong Then
監督・脚本ホン・サンス　撮影パク・ホンニョル　編集ハム・ソンウォン　音楽チョン・ヨンジン　出演チョン・ジェヨン、キム・ミニ、コ・アソン、ユン・ヨジョン、キ・ジュボン、チェ・ファジョン、ユ・ジュンサン
第68回ロカルノ国際映画祭金豹賞・主演男優賞（チョン・ジェヨン）
日本公開2018年6月30日　配給　クレストインターナショナル
著名な映画監督チョンス（チョン・ジェヨン）は上映会で講演するため、水原（スウォン）を訪れる。一日早く着いた彼は、観光に来た寺で画家ヒジョン（キム・ミニ）と知り合い、親密になるが……。芸術家である男女の恋模様を前半「あの時は正しく　今は間違い」と後半「今は正しく　あの時は間違いだった」に描き分け、相反する物語に仕立てた一作。

写真提供　クレストインターナショナル

まずは、やはりキム・ミニのことを書こう。『正しい日　間違えた日』への出演をきっかけに公私共のミューズとなった存在について触れずには、考えずには、その後のホン・サンス映画の実り、その深化も進化も享受し切れないと思うから。急いで付加すれば、世間を騒がせたふたりの関係をとやかくいいたいのではない。そんなことよりは、キム・ミニとの出会いによってホンの映画そのものが獲得したもの、その大きさを正しく噛みしめておきたいのだ。少女みたいに不安げな空気を纏いつつもすっきりと前を向き、澄んで気持のいい生き方をすること、勇敢に探究の道を歩み続けること、これ見よがしの欠片もなく風のように在ることをしているひとりを得ることで、切り拓かれたホンの映画の新たな領域の静かな輝きを確かに受け止め、吟味し、評価したいと思うのだ。

振り返れば新境地への兆し、あるいは希求は、キム・ミニ以前にも既に見え始めていたのかもしれない。飽かずに同じ山を描き続ける中で具象性と様式性の拮抗を究めたセザンヌの方法こそ、自作のめざす所と繰り返し述懐してきた監督の作法——形の上での実験と男と女の、はたまた人と人との身につまされる風景の並立というホン・サンス的映画の原型。それが逞しい成果として見て取れた『男は女の未来だ』（04）『映画館の恋』（05）の頃には、まだあった人間臭く生々しいセックス描写に代わって、洗練や軽妙、飄々とした味わいが前面に押し出されていくその後へ。ロメールとの（反省をこめていえば）いっそ怠惰な比較が定番化するにつれて、同じひとつの映画を繰り返し撮り続けているといった評価が固まりかけもした。そんな中で『正しい日　間違えた日』の直前、『自由が丘で』（14）に主演した加瀬亮がプレス所収のインタビューで唱えた異議は、ホンの現場、はたまたホンという人と直接接したひとりの貴重な言葉として、改めて傾聴してみたい（あまりに的を射たこの発言は既に何度も様々な場で引用していて、またもやと気が引けもするのだけれど、しかしまたどうしてもと励まされる正しさがそこにあるので、やはりまた引いてしまおう）。

「欠点だらけのダメな男女のグダグダ話」とも映るホン監督作だが、「そういうところが本質ではない気がする」「世間的な価値観になじめず、孤独や違和感、不安を感じている人、たくさんの嘘に傷ついたり疲弊したりしてきた人たちを描くホン自身が世の中に嫌気がさし、そんな中で苛立っている自分自身にも嫌気がさして快く生きるということを本気で、考え始めたのかもしれない。自分の弱さ、愚かさ、世界から置いていかれたような寂しさ、欲、嫌な部分をも受けとめ、正直に描き始めた気がする」――そう続く加瀬の洞察を反芻すると、『正しい日　間違えた日』でモデルの仕事に愛想をつかし、画家として探求の道を選んで自信なげに、しかしきっぱりと自分の道を探り始めたヒロイン、ヒジョンが語った言葉、アトリエで不安と誇りをないまぜにしながら絵の具をとき、ソニア・ドローネーみたいな抽象画のタブローに向かってみせたその姿が、ピタリと重なってはこないだろうか。あるいは、その向こうにモデル出身でTVドラマで人気者となり、パク・チャヌク監督作『お嬢さん』（16）では裸も辞さない熱演を披露しながら、韓国映画特有の熱さになじまぬ浮遊感をこそ印象づけたキムという女優の、人の、真相が透けて見えてはこないだろうか。

配役をするときには、会ってみたいという直感に従い、役柄でも演技の技術でもなくただその人自身を見ようと努めると、ホンが語っているのを聞けば、『正しい日　間違えた日』のヒロインと演じたキムの行路、さらには快く生きることを探り始めていたホン自身の思いとが快作の快を引き寄せたのだと思い込んでもみたくなる。〝生（せい）〟の同志ともいえそうなひとり、キムとの邂逅、そこに見出した生きることをめぐる透明な感懐を率直に埋め込むように『正しい日　間違えた日』以降のホン映画、『夜の浜辺でひとり』（17）『それから』（17）と続くコンビ作が清潔な覚悟を湛え、成熟などと安易にまとめてしまうのはいかにも惜しい達観が、映画の美を強かに裏打ちする様が鮮やかに想起される。嘘くささも、力こぶも介入させずただそこにあることをなし得るヒロイン／女優／キム・ミニの潔さ、率直さにもう一度、胸を突かれる。朝4時に起きてその日の撮影のために書いていると降りてくる何かがある、神の恩寵、そんな何かに包まれる幸福――そういうことを彼女となら映画で語っていけると思ったと、往時のインタビューで語るホンの言葉の衒いなさもまた思われる。

ソウルの南、水原の地で袖すり合わせ、男と女になりかけながら踏みとどまった監督の映画を観たヒロインが、激しく舞う雪の冷たさを心地よく受け止めながら白い世界をやわらかに切り裂いていく、振り返らず、曲がり角を曲がって華奢な背中が見えなくなるその時まで、じっとじっと眼差しを注ぐ、映画が幕切れのそこに差し出す掛値なしのやさしさ――。

ほぼ同じ、でも少しだけ違う何かに目を凝らす、ささやかさ、繊細さというものの考察、その実験とも見える『正しい日　間違えた日』2編で、ひとつの長編の前半部分の最後に置かれた枯木立の高みへの虚ろな視線、そこにぽっかりと浮かんだ寂寥と、後半をしめくくる雪の抒情との酷くも美しい対照にみとれながら、キムのもたらしたもの、その僥倖を甘受するホンの鼓動を、映画を通し胸から胸へと受け継ぐ歓びにとっぷりと浸り続けたい。

**川口敦子**（かわぐち・あつこ）
映画評論家。著書に『映画の森―その魅惑の鬱蒼に分け入って』。翻訳した『ロバート・アルトマン　わが映画、わが人生』が〈キネマ旬報映画本大賞２００７〉で第一位。

作品論18　あなた自身とあなたのこと

# 「双子もの」ドラマツルギーとの距離

石坂健治

**あなた自身とあなたのこと**　韓国／２０１６年／カラー／86分
당신자신과 당신의 것　Yourself and Yours
監督・脚本ホン・サンス　撮影パク・ホンヨル　編集ハム・ソンウォン
音楽ダルパラン　出演キム・ジュヒョク、イ・ユヨン、キム・ウィソン、クォン・ヘヒョ、ユ・ジュンサン
第64回サン・セバスティアン国際映画祭 監督賞
日本初上映２０１６年10月26日（第29回東京国際映画祭）

画家ヨンス（キム・ジュヒョク）は母を看病中、酒豪の彼女ミンジョン（イ・ユヨン）が別の男と泥酔していたと隣人（キム・ウィソン）に聞かされ、彼女を非難して逃げられる。延南洞（ヨンナムドン）を探し歩くなか、友人の作家チエヨン（クォン・ヘヒョ）と映画監督サンウォン（ユ・ジュンサン）がミンジョンらしき女性（ユヨンの二役）に会うが、彼女はミンジョンの双子の妹だと言い張る。同一人物を二人の女優が演じた、ルイス・ブニュエル監督の遺作『欲望のあいまいな対象』（77）に着想を得たといわれる一作。

写真提供　FINECUT

筆者が勤務している大学の玄関には創立者である今村昌平の「校訓」が額装して掲げられている。

個々の人間に相対し、人間とはかくも汚濁にまみれているものか、／人間とはかくもピュアなるものか、何とうさんくさいものか、何と助平なものか、／何と優しいものか、何と弱々しいものか、人間とは何と滑稽なものなのかを、真剣に問い、／総じて人間とは何と面白いものかを知って欲しい。／そしてこれを問う己は一体何なのかと反問して欲しい。

（日本映画学校校訓より抜粋）

なるほど優れたアーティストがやっているのは結局そういうことだよな、などと頷きながら通り過ぎるのではほとんどそらんじているのだが、なぜかホン・サンスの映画を思い出す。今村昌平とは作風も何もかもまるで違うのに。強いて接点を挙げるなら、カンヌ・パルムドール二回受賞の今村、ロメールとの近似が指摘されるホン・サンス、ともにフランスで愛されている点で、フランスといえば「人間喜劇」の作家バルザックやこれまた人間の情けなさを笑いに包む劇作家モリエールの国でもあるなあと連想が広がり、先の校訓はまさに人間の業（ごう）＝喜劇性を文字にしたものと腑に落ちる（初期の今村作品は「重喜劇」と称された）。ホン・サンスが論じにくいのは、一作また一作と映画話法を開拓・創造してくる手法・技法の斬新さと、どの作品にも通底している人間の喜劇性への普遍的な関心が毎回並行して提示されることも理由の一つではないか。言い方を変えると、ホン・サンスが多作なのは、汲めども尽きぬ人間の喜劇性を無限に観察しているからではないか。

そんなことを考えながら『あなた自身とあなたのこと』を観る。汚濁にまみれ、ピュアでうさんくさく、助平で優しく、弱弱しくて滑稽な男女のオンパレードである。登場する場所がソウル・延南洞（ヨンナムドン）の数か所に限定され、登場人物もごく少数の86分は、作家のフィルモグラフィーの中では小品の部類だろう。2時間を超える『よく知りもしないくせに』(09)ほど舞台が複数の町にまたがって移動するわけでもないし、いわんや海外ロケの『アバンチュールはパリで』(08)とも違う。ほとんどが住居か飲み屋のシーンで、二人、多くて三人の会話(痴話喧嘩か口説き・のろけの類い)が続く。このまま小劇場の舞台に載せても成立しそうなミニマリズムだ。しかし一方で映画ならではの仕掛けが用意されているのも確かである。ヒロインのミンジョンに双子の姉妹がいるのかどうかという謎の描き方がそれにあたる。

古今東西の文芸には「双子もの」あるいはその変奏としての「瓜二つもの」があまた存在する。ここはそれらを論じる場ではないが、たとえばシェイクスピアの喜劇には双子のテーマが頻出する。『間違いの喜劇』であれば、シチリア島シラクーサの商家の双子の兄弟と、その家の使用人の双子の兄弟という二組の双子=計四人が登場し、海での遭難を経て二組の主従が生き別れとなるも、互いに知らぬまま同じ町で接近したことから大騒動が周囲に拡がる。知己と未知の人物をダブルで取り違えることで舞台は混乱を極め、客席は爆笑の渦。やがて混乱のままラストに至り、無実の罪で処刑台に上がる寸前に尼僧院長がすべての謎を解決し、四人がそれぞれのアイデンティティーを回復して大団円となる。嵐の天空から光が射し込み、突如として聖なる「天恵」が到来するかのように、われわれもまたこの上ない幸福感に包まれて感動する。双子ものの混乱と収拾を論理的に極めた見事なドラマツルギーである。

『あなた自身とあなたのこと』の傍らにこうした双子もののドラマツルギーを置いてみると、ホン・サンスの特異性、独自性が際立つだろう。冒頭で画家ヨンスとともにいたミンジョンは痴話喧嘩の末に行方をくらます。ヨンスは彼女を探すが見つからず、他の男たちの前にミンジョンと瓜二つの女性が登場し、彼女はミンジョンではなく双子の姉妹だと主張する。ヨンスも彼女と遭遇するが赤の他人として扱われ混乱が増幅していく。シェイクスピアと異なり、ラストに至ってもアイデンティティーが回復する「天恵」の場は訪れない。ミンジョンともう一人は同一人物なのか否か、曖昧な薄暮のうちに全篇は幕を閉じる。ヒロインがカフカの『変身』を読書中らしいことも相まって、本作には不条理なファンタジーの要素が漂っているのも確かだが、双子ものの古典的ドラマツルギーに背を向けたホン・サンスの作劇のありようが際立っているともいえる。

　菊地成孔はホン・サンスの映画では「同一性障害」が起きていると指摘する。「最初はどこか『同一性』を持って進むが、次第に綻んで、『同一性障害』のようなことが起きる」と述べ、「映画の『同一性』なんて、ほんとうはどうにでもなるんだ。見ている人の脳には、『同一性』を整える『修正の道具』があるから。／ホン・サンスは、そこに賭けている」と結論する*。傾注すべきこの見解は殊に『あなた自身とあなたのこと』のような作品にぴったり当てはまる。ミンジョンと「双子の姉妹」の同一性を怪しみながら、劇中の男たちとともにわれわれも障害に襲われるが、決してアヴァンギャルド的に同一性が破壊されるのではなく、機能障害のまま、薄暮の中を物語は進んでいく。

　双子ものでは、よく似た役者を揃えたり、いっそ仮面劇にして凌ぐのが演劇的な手法だとすれば、一人の女性＝俳優を画面に登場させたまま、そのアイデンティティーを確定させずに物語を進めること。ここにホン・サンス映画、とりわけ『あなた自身とあなたのこと』の魅力と魔力がある。

＊菊地成孔「ホン・サンス論」、『作家主義　ホン・サンス』A PEOPLE、２０２１年、60頁

**石坂健治**（いしざか・けんじ）
日本映画大学教授。東京国際映画祭シニア・プログラマー（アジアの未来部門）。共著に『ドキュメンタリーの海へ』。共編著に『踏み超えるキャメラ』『躍動する東南アジア映画』ほか。

# 町山広美 × 筒井真理子 ◉ 「自分の未来は女」に託すホン・サンス

司会・構成　小出幸子

写真　三浦憲治（町山広美）
制野善彦（筒井真理子）

放送作家・コラムニストである町山広美さんは、ホン・サンス映画のファンである。ファンという言い方が単純なら愛好家とでも呼べばいいのか。どちらにしろ、ホン・サンス作への造詣が深く、見方が独創的である。もっとも映画全般に関しての見方がそうだと言えるのかもしれないが。

今回の対談では、『小説家の映画』を取っ掛かりに、初期の作品から、中期を経て、近作では女性の気持ちを理解する力、つまり、おじさん力ならぬ、おばさん力を発揮しているという二人の見解が秀逸である。

## 女性に託して本音を語る

――町山さんは今回、公開される『小説家の映画』（22）は観られましたか？

**町山**｜今作はすごく率直だけれど、攻撃的な面があって、いつもの飄々とした感じがあんまりない、ちょっと驚きました。

**筒井**｜小説家役のイ・ヘヨンさんが公園でのところで、「何がもったいないのですか」と強い口調で言うのも、なかなかな感じでしたね。

**町山**｜才能があるのにもったいないって嘆いてみせる人と、才能がある人は社会性がないからまともに生きられないみたいなことをなにやら確信を持って言う人は、同じ人だったりすると思うんですよね。

　今回、作品を作ることや作る人についての思いを率直に語っている印象です。それを女性に託しているのが面白いなあと。もしあのもったいないという言葉が全員男性の会話だったら、上下関係とか気になって、すっと入ってこないんじゃ。

**筒井**｜なるほど、そうかもしれないですね。

**町山**｜でも女性の俳優についての、女性の作家と男性監督の間での会話。ホン・サンスが投影されているのだろうけれど、女性が主人公だからこそ率直に言えているのかなと思いました。近作では女性に託して語ることが増えていて、その手法が広がってきている感じがしました。

**筒井**｜私は、ついつい役者として見てしまうのですが、イ・ヘヨンさんがホン監督と初めて組んだ『あなたの顔の前に』（21）で、彼女がたおやかで神々しいと思いました。いるだけで素晴らしい。それが今回、こういう小説家を演じて、ひとつひとつに、こつんこつんと当たってしまう人。ああ、こういう方っているなあ、と。それがあまりにもリアルなので感服しました。

**町山**｜『あなたの顔の前に』での手足の長さとか美しかったですよね。でも今回は伸びやかさゼロ、腕も長く見えない。

**筒井**｜表情もずっと不機嫌そうな感じで、険がある顔をしています。

**町山**｜本当にああいう人がいますよね。他の女性のキャラクターもそうですが、文化系の業界にいる女性のパターンが見事に描きわけられている。それが面白かったですし、男性の監督なのに、これ分かるのかと思うくらい。

**筒井**｜書店で働くあの若い女の子もボヨンとして、実際にいそうで（笑）。

**町山**｜小説家にも大ファンですと言うし、詩人にも素晴らしい人とか言って。

ああいう女の人いますよね。いろんな人にファンだとかいう人。

**筒井**｜かつてその詩人と付き合っていて、その時は私の方が追いかけていたのよという話をする小説家＝イ・ヘヨンさんが、淡々としていて可愛い。どうやって役作りしているのか、そういうことに目がいってしまって。彼女に役作りを聞きたいですね。

**町山**｜当日に台本を渡されることばかり言われますよね。ディスカッションの話もありますけれど、かなり話を聞いているのだと想像してます。周りの女性たちからも話を聞いて、ホン監督がどんどん吸収して。それで作っている感じが想像できる。

**筒井**｜綿密なセッションがあっての、一言一句らしいです。で、かなりの長回しじゃないですか。この映画でもイ・ヘヨンさんがずっと喋っていますよね。公園で監督たちと4人で話して、その後、甥っ子たちともずっと一緒にワンカットで撮っている。あの膨大な台詞は可能なのか聞きたいところです。

**町山**｜演じる側の人に聞きたいのは、しゃべる方もそうですけれど、それを聞いている人がずっと同じ画角の中にいる。あれすごく大変だと思って。

**筒井**｜確かに大変ですね。でも、本当に聞いていればいい。

**町山**｜本当に聞く、ってそれがまさに難しそうです。あの4人だと、キム・ミニがどうしているかに目が行ってました。リモートの会議でも他の人が喋っている時にどんな表情をしていようかと思う方だからかも。思わぬ人が見ていたりして、「あの時、ちぇっていう顔していたでしょう」って、後からバレたりすることありますけど（笑）。

**筒井**｜会話の中で参加していないところでも、イ・ヘヨンさんが不機嫌になっている感じとか、とてもリアルで。

**町山**｜ホン・サンスの映画って繰り返し見ちゃうじゃないですか。あれは結局、何だったのだろうと考えて。2回目は、主人公ではない他の人を見てしまうのですよね。

**筒井**｜それ、分かります。この時、この人はどうしていたのかしら、と。

舞台でもセリフが無い時の方が難しいと言われます。ただその人物としてそこに居て相手のセリフを聞いて、自然に自分の言葉が出てくる。理想ですけど。

**町山**｜同じシーンを演じるのはどういう感じなのですか？

**筒井**｜私、最初は劇団だったので、50ステージぐらい同じことするんです。

そこは同じことをしても飽きないように訓練する。演じる相手も毎日違いますから、それにちゃんと反応すれば初めて聞いたように新鮮になるはず。

カット割りが多い映像だと毎回芝居を揃えないと噛み合わない。でも芝居を揃えるのがだんだん苦しくなってきてしまって（笑）。その瞬間に生きて相手の言っていることに反応し、その都度、変わっていくのもいいじゃないかって思ったりもしますね。

**町山**―監督を体験した人が、判断の連続だったってよく言いますよね。でもホン・サンスは現場で判断をしない撮り方をしている気がして。

**筒井**―多分、セリフを誰かが間違えるまでずっと回している。

**町山**―監督にも俳優を追い込む人、場のリーダーに君臨する人といろいろあるわけですよね。ホン・サンスはずっと小さい所帯でやってきて、『イントロダクション』（21）からは撮るのも自分になって。編集も本人ですよね。いよいよもう、誰かの仕事を判断することはもうできるだけしたくないという感じ（笑）。撮り始めたら、起こるのを待つだけというか。映画について大きな試みをしてると思うんです。しかも俳優のセリフは、ホン・サンスの中から出ていると思うと不思議な世界。

**筒井**―今回のこの映画で小説家が本当のこと話すのは、キム・ミニさんだけですよね。自分が大袈裟なことをやっている気がしてちょっと恥ずかしいみたいな言い方とか。若い頃は違ったけれど、今は誇張して書いていることに抵抗を感じるみたいな話をする。

**町山**―日常でも、相手によって話す内容は変わるし変わってしまう。

**筒井**―本当のことはなかなか言えないですよね。「愚痴言って大丈夫よ」って友達にいわれて信用していても留まる時がありますからね。

## 女性だってだらしなくていいのではないか

**町山**―この前作にあたる『あなたの顔の前に』で小さい女の子が、主人公が昔住んでいた家になぜか現れるというのがあって。

**筒井**―自分なんじゃないかしら。

**町山**―ですよね、自分に話しているというか。別次元に生まれて俳優をやっていたり、この映画では小説家をやっていたりしますが、登場人物がぜんぶ同一人物に、思えてくる。

――最初にホン・サンス監督の映画を観た印象は如何でしたか。

**町山**｜私は『女は男の未来だ』（04）が最初でした。その時、日活ロマンポルノやATGみたいな作品を久しぶりに見たなと思って。女の人がどっちの男の人が希望する時にでもセックスの相手になってくれて後腐れがない、いわば夢の女みたいな。でも、あまりにも夢すぎて間抜け感が強く、日活ロマンポルノで大真面目に切実にやっていたことをこの監督はふざけているのかと思った記憶があります。

**筒井**｜私の場合は、ずっと遅れてからですね。『ヘウォンの恋愛日記』（13）辺りかな。ホン監督、独特の急に入る変なズーム、あれがもう大好きになっちゃって。酔っぱらっている役者さんがとても上手いので、これ、本当に飲んでいるのかなと思いながら見た記憶があります。そこから遡って見始めた感じですかね。酔っぱらう演技は、とても難しいんですよ。実際は酔っぱらっていても自分は酔っぱらってないという顔をするじゃないですか。その辺りも上手いなと思って。

**町山**｜『女は男の未来だ』では、酒だけじゃなく自分に酔っぱらってるような男性のダメさを、肯定して欲しい気持ちで撮っているのではないかとイラッとしてました。私は〝女尊男卑〟ってまわりに言われるくらいなので（笑）、タイトルだけでおだてても許さんぞって。

ホン・サンス映画の男性は、情けない人ばっかりでしたけれど、途中から変わっていきますよね。今回の映画を見ると、まさに『女は男の未来だ』でした。キム・ミニと組むようになってからの進化ぶりを思うと、まさに自分の未来は女性にある、あれは口先のおだてじゃなく本気だったのかと。

**筒井**｜確かに『正しい日 間違えた日』（15）からどんどん変わってきていますね。

**町山**｜女性って年を取ると可愛いと言われなくなって、正しい在り方に走りがちで。年齢だけで母親という存在に大枠で分類されるから、正しさに自分の軸を寄せるしかなくなる感じがあるというか。正しくなくて肩身が狭い、と私なんかは思っていて（笑）。でもある時からホン・サンス映画に出てくる中年以上の女性は、抜けていたり、スケベだったり、だらしなかったり。イザベル・ユペールのおとぼけぶりも良かったですし。男性ばかりでなく女性もだらしなくていいのではないか、と。だって人ってそういう無様なもんでしょっていう。

**筒井**―そういう映画、日本でもどんどん作って欲しいですね。ホン・サンス作品が変わってきているのは、確かにキム・ミニさんの影響が大きいと思います。

**町山**―キム・ミニに自分を演じてもらう日も近い。男性には、年取っていくとおじさんじゃなくておばさんになる人っていますけど。

**筒井**―私、自分でおじさんって言っていますから。若い女の子を可愛いとか思っちゃって（笑）。

**町山**―どっちも同じになってくとこあります。それからこれは想像なのですが、ホン・サンスは韓国のいわゆる86世代の人ですよね。彼も1960年生まれで、学生時代にアメリカに渡っている。

同世代の人たちは母国で、民主化運動で戦っていたわけです。ホン・サンスの資料を見ても、いつアメリカに行ったのか書いていない。同世代の人が民主化運動で戦ったり戦えなかったり、それぞれ傷ついたりしていた時期に自分は外にいた、そのことでの複雑な思いや疑いはずっとあるのではないかと。ひとつの出来事を、違う見方をする作風はそういうことがきっかけかもと想像してみたり。

**筒井**―なるほど、そういう見方もありますね。

**町山**―私は阪神大震災のときに旅行でブラジルにいたんですが、あの時の世の中の感じを知らないことに、ずっと後ろめたさがあって。比べようもないことですけど、ホン・サンスの独特な距離感とか空白の謎が気になります。

**筒井**―ホン・サンス監督は、だから社会性みたいなものに触ってはいけないと思っているのかも知れないですね。その痛みのようなものが伝わるから、監督自身にも作品にも品の良さを感じるのかも知れません。

2023年5月5日
サイバーメディアTV
上野・御徒町スタジオ

**町山広美**（まちやま・ひろみ）
1964年生まれ。放送作家。コラムニスト。下北沢から森下に移転する書店「BSEアーカイブ」主宰。『レオス・カラックス 映画を彷徨うひと』に青山真治との対談を収録。

# 作品論 3

2017-2023

# 作品論19 夜の浜辺でひとり
# 不倫の恋の果て 偽りなき自分を見つめて

佐藤 結

**夜の浜辺でひとり** 韓国／2017年／カラー／101分
밤의 해변에서 혼자 On the Beach at Night Alone
監督・脚本ホン・サンス 撮影パク・ホンニョル、キム・ヒョング 編集ハム・ソンウォン 出演キム・ミニ、ソ・ヨンファ、クォン・ヘヒョ、チョン・ジェヨン、ソン・ソンミ、ムン・ソングン
第67回ベルリン国際映画祭主演女優賞（キム・ミニ）
日本公開2018年6月16日 配給クレストインターナショナル
女優のヨンヒ（キム・ミニ）は不倫の恋を騒がれ、年上の友人ジヨン（ソ・ヨンファ）がいるハンブルグに滞在する。やがて韓国へ戻ったヨンヒは、江陵（カンヌン）で昔なじみのチョンウ（クォン・ヘヒョ）とミョンス（チョン・ジェヨン）、先輩のジュニ（ソン・ソンミ）に再会し、仕事に復帰する意欲を示す。浜辺で会った旧知の映画スタッフを通じて、彼女は恋仲にあった妻子ある映画監督（ムン・ソングン）と対面する。

写真提供 クレストインターナショナル

『夜の浜辺でひとり』は映画作家ホン・サンスが新しい段階に入ったことを示した作品だ。もちろん、もし、彼自身に問うたら、笑って受け流されるかもしれないが、それまでの作品に目立った乾いたユーモアがほとんど姿を消し、なにかを待ち続ける主人公の周りに漂い続ける、張り詰めたような真面目さが目立つ。

多くのホン・サンス作品と同様、この映画は一部、二部とふたつのパートに分かれている。時間はおよそ30分と70分で、後半がかなり長い。興味深いのはそれぞれを別の撮影監督が撮っていることで、前半を『ハハハ』(10)、『自由が丘で』(14)、『正しい日　間違えた日』(15)、そして今作と8本で組んでいるパク・ホンニョル、後半を『それから』(17)、『草の葉』(18)のキム・ヒョングが担当している。前半が終わると新たにクレジットが入って後半が始まるが、その次に続くのがキム・ミニ演じる俳優ヨンヒが映画館で映画を見終わったばかりというシーンなので、まるで彼女が第一部を見ていたようにも感じられる。

ドイツのハンブルグと、『カンウォンドのチカラ』(98)の舞台でもある江原道(カンウォンド)の江陵(カンヌン)で撮影された一部と二部には共通点も多い。どちらも海に近く「とても住みやすい」と評判の街で、気に入ったヨンヒが「ここに住もうかな」と話すこと、彼女がほとんどの時間、誰かを待ちながら過ごすこと、親しい年長の女性が彼女を迎えてくれることなどが、相手を変えながら繰り返されていく。

ハンブルグの公園で、ヨンヒが突然、地面にひれ伏してお辞儀をした後、一緒にいた先輩ジヨンに「自分が本当に望むものは何かということを心の中で決めるためにお辞儀をした」と語るシーンに象徴される彼女の真剣さには、それまでの作品に登場する人物たちに見られたような皮肉や揶揄は一切ない。そして、彼女がとても正直なこと、この映画がそんな彼女と真剣に向き合っているのだということがよくわかる。「自分が本当に望むもの」を探す彼女は他人の欺瞞的な態度にも辛辣で、先輩たちとの酒の席で「愛される資格のある人を見たことがある?」と周りの人を問い詰めたり、「後悔している」と口にした元恋人の映画監督に激高したりもする。結局、彼女が求めるものは、海を見つめながら行う自分自身との対話の中にしかないのかもしれないということが、タイトルに示されている。アメリカの詩人ウォルト・ホイットマンの詩集『草の葉』に収められた詩からとられたタイトルについてホン・サンスは韓国の映画雑誌「シネ21」とのインタビューの中で「読んだときにタイトルが気に入って、いつか私の映画のタイトルになると思いました。真っ暗な夜の浜辺で、宇宙と自分との間に何の邪魔もなくなったとき、当たり前だと思われているような人情や規範、分別がなくなり、本来の自分というものをしばし感じられるだろうと想像したのです」と語っている。「一つの広大な類似が万物を結び合わせる」という詩の内容も、ホン・サンスの映画に似合っている。

近年のホン・サンス作品では、女性同士の信頼関係を描くことが増えてきたが、今作はその先駆けともいってよく、既婚男性と別れ、逃げるようにハンブルグにやってきたヨンヒと待ち合わせて江陵で会い、魅力的だと絶賛しながらキスまでしてしまうジュニと過ごしているヨンヒはとてもリラックスして見える。

ヨンヒを演じているのは、『正しい日 間違えた日』(15)に続いての出演となったキム・ミニ。セリフとは別のところで常に心が動き続けているようなキャラクターを繊細かつ大胆に演じ、ベルリン国際映画祭で主演女優賞(銀熊賞)を受賞した。今作は特にタバコを吸うシーンが多く、それぞれにヨンヒの心情をよく表しているが、特に、江陵のカフェの前で、タバコを吸いながら、恋しい人への思いが込められた歌を口ずさむシーンのなんとも言えない儚さは、「どうしてこんな気持ちで生きることになったのか」という歌詞とともに胸にしみる。

さて、この映画で最大の謎と言えるのが、ヨンヒがハンブルグの公園で出会って以降、2度にわたって唐突に登場する黒い服の男の存在だ。見知らぬ女性たちに遠くからいきなり韓国語で声をかける この男の登場は、テスト撮影のときに撮影監督のパク・ホンニョルが提案したというが、彼がなぜ、一部のラストでヨンヒを連れ去り、二部ではヨンヒが泊まる部屋の窓を拭いている（中にいる人たちはその存在にまったく気づかない）のかはわからない。黒子のような彼は、ここではない別の世界を示唆しているようにも思える。

『夜の浜辺でひとり』の韓国公開を控えた17年3月行われた記者会見にキム・ミニとともに出席し「私たちは愛し合っている」とホン・サンスが語って以来、彼らは公私にわたるパートナーという関係を続けている。妻帯者である監督との関係に悩む女性が主人公の今作を、そのことを思い出さずに見ることは難しいが、それでもなお彼らの人生と映画はまったく別のものである。それでいてホン・サンスは、ムン・ソングン演じる映画監督にチェーホフの短編『恋について』の朗読という形で「恋をしたら、その恋について考えるのに、月並みな意味で幸福か不幸か、罪悪か美徳かなどということよりも、もっと高い、もっと大事なことから出発すべきだ、そうでなければ、むしろ全く考えないほうがいい」などと言わせたりもするのだ。

**参考文献**　ホン・サンス書面インタビュー「シネ21」（ウェブ版）2017年3月23日／ホイットマン作、酒本雅之訳「夜の浜辺でひとり」『草の葉』（岩波文庫）／チェーホフ作、松下裕訳「恋について」『ともしび・谷間　他七篇』（岩波文庫）

**佐藤 結**（さとう・ゆう）
映画ライター。共著に『韓国映画で学ぶ　韓国の社会と歴史』『作家主義　韓国映画』。スカパー！の映画サイト「映画の空」に韓国映画についてのコラムを連載中。

作品論20　クレアのカメラ

# ポラロイドカメラがもたらす生成変化

堀　潤之

**クレアのカメラ**　韓国／2017年／カラー／69分
클레어의 카메라　Claire's Camera
監督・脚本 ホン・サンス　撮影 イ・ジングン　編集 ハム・ソンウォン
音楽 ダルパラン　出演 キム・ミニ、イザベル・ユペール、チャン・ミヒ、チョン・ジニョン
日本公開 2018年7月14日　配給 クレストインターナショナル

韓国の映画会社社員マニ（キム・ミニ）は、映画祭に参加するソ監督（チョン・ジニョン）を助力するため滞在していたカンヌで、女社長ヤンへ（チャン・ミヒ）にとつぜん解雇を通告される。やがてマニは、ポラロイドカメラで写真を撮るフランス人の高校教師クレア（イザベル・ユペール）と知り合い、彼女を通じて自らの解雇理由を知る。写真の奇妙な力を信じるクレアを狂言まわしに、監督と社長、社員の三角関係が紡がれる。

写真提供　FINECUT

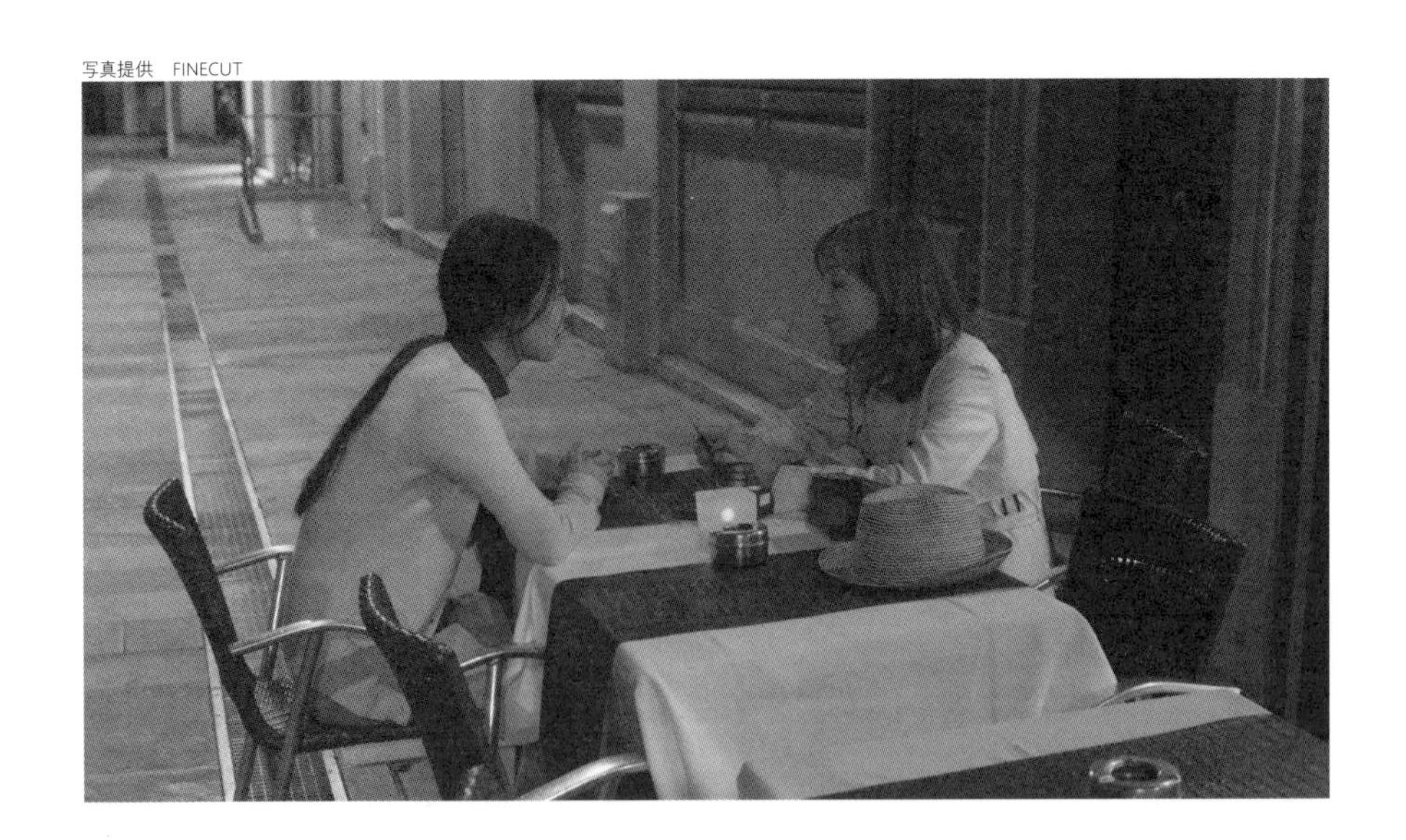

明るい陽光にあふれる映画祭期間中のカンヌを舞台にした『クレアのカメラ』は、ホン・サンス作品にあっては珍しくない三角関係の物語を展開しながら、そこにイザベル・ユペール扮するクレアという、出会った人々をポラロイドカメラで撮ってまわる人物を絡ませることで、「写真」の持つ奇妙な力をめぐる考察を巧みに織り込んでいる。本作で興味深いのは、映画会社社員のマニが映画監督のソと一夜を共にしたため、嫉妬した女社長に解雇を告げられる一方で、その女社長ヤンへも長期にわたる愛人関係の精算をソ監督に切り出されるという筋書きそのものよりも、むしろクレアの撮影行為と、映画の中で二度に分けて彼女が開陳する写真についての独自の考え方である。

まず、映画の中程に出てくる一枚の不可思議な写真に注目してみよう。パリからカンヌにやって来たばかりのクレアが、その日の朝にホテルの屋上で撮ったというマニの写真がそれである。その写真は、中華料理店で食事を取りながら、知り合ったばかりのソとその連れのヤンへに見せている何枚かの写真のうちの一枚として登場する。だが、観客にもしっかりと提示されるその写真の中のマニは、たしかに紛うことなくマニ／キム・ミニでありつつ、彼女をよく知っている二人もしきりに訝しがるように、普段とは異なる濃いメイクで薄茶色のワンピースを身にまとっているので、私たちの目にもまるで別人のようである。いったい、クレアはこの写真を本当にその日の朝に撮ったのだろうか。

そうしたかすかな疑念を裏付けるかのように、続くシーンで岩場を歩くマニの姿に惹かれて、思わず写真を撮り、声をかけるクレアは、まるで初対面であるかのように彼女に接している。同じ日の朝と昼過ぎのはずなのに、いまやノースリーブのカットソーにパンツ姿の素朴なマニは写真の中の派手なマニとは似ても似つかない。先の中華料理店のシーンで、クレアは監督と社長のそれぞれに向けてシャッターを切りながら、「私があなたの写真を撮ると、あなたはもはや同じ人物ではなくなる」と語っていた。この言葉は、万物は流転するのだから一瞬後のあなたはもはや一瞬前のあなたと同じではない、というしごく論理的な事態を言い表しているにすぎないのかもしれない。だが、二人が決して真剣に取り合おうとしないこの言葉が、「写真」との親密な関係を取り結ぶことになるマニに対しては文字通りの謎めいた効力を発揮して、朝、写真に撮られたマニが別人になるという不条理な事態が起こったとも考えられるのではないか。ともあれ、この写真は、物語の時系列的な整合性を心地よく狂わせる、ホン・サンスの映画ならではの仕掛けとして機能しているのである。

　果たしていつどの時点のマニを撮ったのか判然としないこの不思議な写真にいくつかの点で呼応するのが、映画の後半、建物の屋上で催されている何らかのレセプションで、ホットパンツ姿のマニが、アイメイクが濃すぎるとか、脚を露出することで男性の歓心を買おうとしているといった目茶苦茶な理由で、ソ監督にこっぴどく叱責される場面である。まず、屋上というロケーションやメイクの濃さは、クレアがマニの写真を撮ったという朝の状況と類似するので、観客は一瞬、これがその朝の場面なのかもしれないと思う。だが、写真の中のマニはホットパンツ姿ではなかったことにすぐさま思い当たるだろう。しかも、不意に登場するクレアが打ちひしがれるマニの後ろ姿を写真に撮ると、彼女は振り向いて「写真を撮らないで」と言う——先に明るいアパルトマンの窓際で煙草を吸う後ろ姿をクレアに撮られて、微笑みを返していたのとは対照的だ。以上を考え合わせると、どう考えても時系列に素直に収まらないこの場面は、物事を変化させる「写真」の力が及ぶことのない、一種の反実仮想的なパラレルワールドであると考えた方が納得がいく。この場面の直前で、クレアが砂浜へと続く階段を降りたところにある地下道——異界への入り口であるかのようなこの地下道を、マニも興味深そうに覗き込んでいた――に吸い込まれていったのも、そのような解釈へと観客を誘っている。

　夜の帳が下りてから、マニはクレアを伴って、社長に解雇を言い渡されたカフェを訪れる（おそらくは、解雇を撤回させるための手立てを一緒に考えるために）。クレアが、その時に路上で寝そべっていたカフェの犬や、同じ席に座って3日前のやり取りを反芻するマニの姿を写真に収めていると、マニはふと「あなたはなぜ写真を撮るのですか」とクレアに尋ねる。彼女の答えは、「物事を変える唯一の方法は、あらゆるものにもう一度、とてもゆっくりと目を向けることだから」というものだ。ここで、写真家としてクレアがどのような存在なのかがはっきりする。彼女の撮影行為は、それ自体として、被写体を「もはや同じ人物ではない」ように生成変化させるものだったが、そのようにして撮られた写真を「見る」ことによっても、状況のさらなる変化が促されるのである。彼女がポラロイドカメラにこだわることの意味もいまや明らかだろう。クレアにとって、写真を「撮る」ことと「見せる」ことは表裏一体の行為であり、撮った写真をすぐさま、「とてもゆっくりと目を向ける」ことのできる物質的な存在として手に入れる必要があるのだ。

　夜、クレアを連れてアパルトマンに戻ったマニは、社長からの呼び出しを受ける。それに続く映画の末尾のシーンでは、彼女は他の社員とともに事務所で帰国に向けた撤収作業を行っている。解雇は撤回されたのだろう。あたかもクレアの「写真」の媒介によって事態が好転したかのようだ。映画は、作業中のマニをとらえたフリーズ・フレームで終わりを告げる。この疑似的な写真撮影には、マニ／キム・ミニのさらなる生成変化への期待が込められているに違いあるまい。

**堀　潤之**（ほり・じゅんじ）
映画研究・表象文化論。関西大学文学部教授。
著訳書に『映画論の冒険者たち』『ゴダール・映像・歴史』『越境の映画史』（いずれも共編）。
「アンドレ・バザン研究」全6号を共同編集。

作品論21　それから

# 美しさと信じることについての映画

佐藤結

**それから**　韓国／2017年／モノクロ／92分
그 후　The Day After
監督・脚本・音楽 ホン・サンス　撮影 キム・ヒョング　編集 ハム・ソンウォン　出演 クォン・ヘヒョ、キム・ミニ、キム・セビョク、チョ・ユニ、キ・ジュボン
日本公開 2018年6月9日　配給 クレストインターナショナル
小出版社を営む文芸評論家のボンワン（クォン・ヘヒョ）は、妻（チョ・ユニ）に浮気を疑われており、実際、退職したチャンスク（キム・セビョク）との関係が破局したばかりだった。新たに入社したアルム（キム・ミニ）は不倫相手だと妻に誤解され、尊敬するボンワンの実像を知る。私生活にルーズな名のある男性文化人と作家志望の若い女性を対比的に描き、文学と家族、信じることについての物語が展開していく。

写真提供　クレストインターナショナル

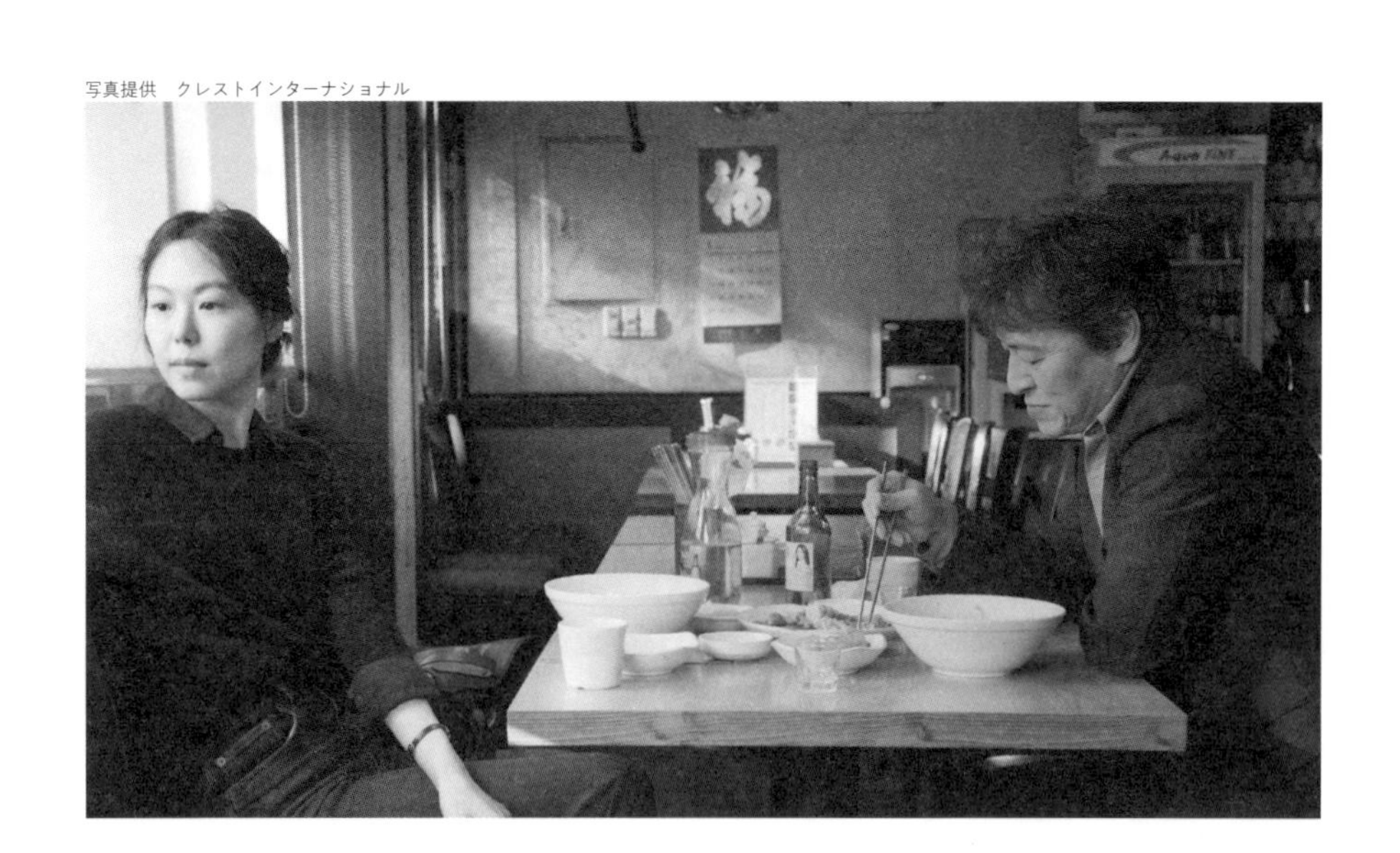

小さな出版社を営む社長と3人の女性たちとの関係がモノクロの端正な映像で綴られていく『それから』は、時間についての映画だ。舞台となるのはある1日の明け方の4時半から深夜にかけて。出版社社長であるボンワンは浮気を疑う妻の詰問を逃れ、まだ暗いうちに家を出る。自分の住むマンションの前の道に出るとシーンが変わり、同じ場所で酒に酔い、若い女性に支えられているボンワンが現れる。しばらく見ていると、それは彼が過去に体験した出来事であることがわかる。その後もしばしば「現在」と「過去」の出来事が地続きで登場するこの映画では、回想に入ることを示唆する〝印〟のようなものが明示されないため、最初は時系列に沿ったストーリーとして追っていくのがなかなか難しい。

こうした作りについてホン・サンスは韓国の映画雑誌「シネ21」とのインタビューの中で「起きた時点は過去でも、それが今に影響を与え、〝消化されないまま〟継続して記憶されているのであれば、現在の人物の意識や感情の中には、その過去と今の行為が同じ実体的な力として存在します。それをそのまま表現したものです」と答えている。「現在の人物」すなわち、ボンワンの中には、会社の社員でかつての恋人であるチャンスク（過去）と、彼女の後任として採用され初めて出勤してきたばかりのアルム（現在）はひと続きの存在として認識され、それゆえか会社にやってきた彼の妻は、アルムのことを夫の浮気相手だと誤解する。アルムの言い分も聞かずに妻がいきなり彼女の頬を叩くシーンには、どこか滑稽味があると同時に、いかにも愚かな行動をとってしまう「妻」という存在に対する視線の冷たさも感じさせる。

今作はまた、アルムという女性に象徴される、「美しさ」と「信じること」についての映画でもある。「美しい（アルンダプタ）」という言葉に由来するアルムという名を持つ彼女は、初対面であるにもかかわらず無遠慮に家族や私生活について尋ねるボンワンに対して礼儀正しく接しているが、昼食に出かけた中華料理店でついにたまりかねて「あなたが生きる理由は?」と真っ直ぐに問いかける。そして、あいまいな笑いや思いつきの言葉で逃れようとする彼に「(あなたは)卑怯なのです」と言い放つ。彼女自身は「自分が(自分の人生の?)主人公ではないこと」「いつ死んでもいいこと」、さらに「世界のすべて」を信じているのだと語る。アルム役のキム・ミニは前々作『夜の浜辺でひとり』(17)で「自分が本当に望むもの」を探す女性を演じていたが、今作ではさらに一歩進み、強い信念を持つ人物を清々しく演じている。妻、チャンスク、アルムというそれぞれの人物に対して、その場しのぎの言い訳を繰り返すボンワンとの対比も鮮やかだ。また、撮影に合わせるかのように降り出したという雪の中を走るタクシーの窓から外を眺めるアルムの横顔の美しさも忘れ難い。『オー!スジョン』(00)や『次の朝は他人』(11)などと同様、冬のソウルの寒さと街の冷たさをモノクロの映像が美しくとらえている。特に今作は室内のシーンが多いので、一瞬の外の風景が強い印象を残す。

「作る時に、まず理由があるからではなく、ただ作りたいと思い、それが浮かぶんです。私の場合は」と語るホン・サンスによれば、今作の出発点はボンワン役のクォン・ヘヒョとロケ場所となる出版社だったという。明け方に出勤するのは実在するその出版社社長の習慣で、その話を聞いて彼に同行してみたところから映画の構想が始まった。また、映画の最後でボンワンがアルムに手渡す小説も当初は夏目漱石の小説の『こころ』を考えていたが、出版社になかったため、社長から渡された同じ作家の『それから』を使い、それが映画のタイトルになった。ふと浮かんだこと、偶然、目の前に現れたものが、まるで最初からそこにあったかのように映画へと取り込まれていく。

クォン・ヘヒョという俳優の存在とホン・サンス

自身の構想が出会ったことから生まれたという今作には、主人公ボンワンの妻役に、実生活でも彼の妻であるチョ・ユニが起用されている。そのせいか、冒頭、キッチンで交わされるセリフのやりとりもかなり生々しく聞こえる。チョ・ユニはこの後、ホン・サンス組の常連俳優となり、『小説家の映画』(22)では再びクォン・ヘヒョの妻を演じた。また、クォン・ヘヒョ、キム・ミニ、チャンスク役のキム・セビョクは、『逃げた女』(20)でも再共演する。そちらではキム・ミニ扮する主人公の元恋人をクォン・ヘヒョ、彼を奪って妻となった友人をキム・セビョクと、『それから』を見た人であればにやりとしてしまう配役となっている。

私たちが経験する出来事の後にはまた次の「それから」があるように、今作のラストにはエピローグのような場面が登場する。ボンワンがある賞を受賞したと聞いたアルムが訪ねてくるが、ボンワンの方は彼女のことを覚えておらず、初めて会ったあの日とまるで同じような対応をする。やがて、ボンワンは彼女を思い出すが、妻が乗り込んできた大騒動のことなどは一切、口にせず、チャンスクとも別れてしまったと語る。フレームの外からは、彼に何を食べるかと聞く別の女性の声が聞こえて、ボンワンの変わらない日常が垣間見える。そんな彼を残し、晴々とした顔で会社を出て雪道を去っていくアルムの後ろ姿。しかし、映画はそこでは終わらず、カメラは彼女と入れ替わるように出前を届けにきたオートバイを追って会社の入り口に戻り、さらなる「それから」が始まるのを待つ。

**参考文献**　ホン・サンス書面インタビュー「シネ21」(ウェブ版)2017年7月6日

**佐藤 結**(さとう・ゆう)
映画ライター。共著に『韓国映画で学ぶ　韓国の社会と歴史』『作家主義　韓国映画』。スカパー!の映画サイト「映画の空」に韓国映画についてのコラムを連載中。

作品論22　草の葉

# 冷徹な人間観察の果てにある微笑み

相田冬二

**草の葉**　韓国／2018年／モノクロ／66分

풀잎들　Grass

監督・脚本 ホン・サンス　撮影 キム・ヒョング　編集 ソン・ヨンジ　出演 キム・ミニ、キ・ジュボン、ソ・ヨンファ、チョン・ジニョン、キム・セビョク、コン・ミンジョン、アン・ジェホン

日本初上映 2018年11月17日（第19回東京フィルメックス）

俳優や作家が集まる路地裏の喫茶店。若い女（キム・ミニ）は周囲の話を盗み聞きしながら、自身のコメントをパソコンに書き記している。友人に自殺された若いカップル（コン・ミンジョンとアン・ジェホン）、劇団を辞めた老俳優（キ・ジュボン）とかつての恋人（ソ・ヨンファ）、自己中心的な脚本家（チョン・ジニョン）と若い女性（キム・セビョク）——彼らの小さなドラマが、彼女の内面の声を通じて浮かび上がる。

写真提供　FINECUT

決して名作だけは撮るまい。

そんな、奇妙な、そして意固地な気概だけが漲っている映画作家だった。名作になりかけると、すんでのところで崩す。あるいは、そもそも名作にならないように周到な準備を張り巡らせる。企画にしても、撮影にしても、編集にしても、音楽にしても、名作化を拒む意志が明確に屹立していた。

そんなホン・サンスが『それから』（17）で遂に名作を完成させてしまった。

『それから』は冒頭からやけに気合いが入っており、彼の映画を観続けてきた者であれば、この気合いは、きっと後半で外されていくはずだ、この気合いが気合いのまま最後までいくことはないだろう、炭酸の泡が抜けるように、どこかで意図的に、ガクッとさせるはずだ、なぜなら、それがホン・サンスだから、と念じながらスクリーンを見つめていたはずで、まさか最後の最後まで気合いが継続し、ちゃぶ台がひっくり返されなかったことに驚いたに違いない。

ホン・サンスが『それから』の後に、どんな映画を撮るか。撮るはずのなかった名作を撮ってしまった後で、どんな映画人生が待っているのか。

そうした興味の下、送り届けられた『草の葉』は、モノクロームだった。ホン・サンスは、『オー！スジョン』（00）『次の朝は他人』（11）と、ここぞという時だけ、モノクロ映画を撮ってきた。その先に『それから』の黒白画面があった。頻繁に撮っていたわけではなかったからこそ、『それから』の名作感も特別なものになった。

しかし、大胆にも、『それから』の次作である『草の葉』も、その次の『川沿いのホテル』（18）も、どちらもモノクロ。これは当時、大きな衝撃だった。

キム・ミニと出逢った『正しい日　間違えた日』（15）以降、ホン・サンスの映画道は、変化していく。曲がりくねっていたはずの野良道は、『それから』で真っ直ぐに舗装されたかに思えた。このまま円熟の境地に突入するのか。

そこを見極める意味でも『草の葉』は重要作であった。

結論から言おう。ホン・サンスは、早々に遺作を撮り上げてしまった。

この監督は、『草の葉』の後、現在（2023年5月）までに既に7本もの作品を完成させている。だから時系列的には明らかにおかしいのだが、彼が今後、『草の葉』以上に遺作らしい遺作を撮るとは思えない。

名作を撮らないはずの男は、『それから』で名作を撮ってしまったことで、畏れるものが何も無くなったのだろう。ひと足先に、遺作を撮ることにした。事前に撮っておけば、その後の映画人生がより楽になると考えたのかもしれない。そんなこと、普通は想定しないし、また実現もしない。しかし、ホン・サンスはそれをやってしまった。

キム・ミニが一応の主人公ではある。だが、あくまでも「一応」であり、本作に主人公はいないのかもしれない。ただの空洞化した狂言まわしとしての人物を、ホン・サンスのパートナーは演じている。誰が演じても同じかもしれない、匿名性の高い役どころだからこそ、キム・ミニが配役されている、と言えるかもしれない。

カフェで、彼女はMacBookに何かを打ち込んでいる。作家ではない、と自ら語っているので、物書き未満なのだろう。この「未満」という概念と観念が重要かもしれない。

決定的なことがない世界観なのだ。

境界線が曖昧で、その「曖昧である」ということが一種、強力な意思表示となっている。カフェに現れる、男女の対話を、キム・ミニは覗き見る。激しく、そして、情けない、そのやりとりを、「未満」の彼女は、モノローグで断罪していく。モノローグは、心の声であると同時に、彼女が今この瞬間に綴りつつある「ト書き」のようでもある。

女に世話になろうとする男たち。その無様なありようを「生き恥」と、キム・ミニは罵る。ミルフィーユのように積み重なっていく罵りは、呪詛の様相すら呈してくる。

　ところが、映像の筆致は穏やかで、黒味の深い映像設計とも相まって、かなりの落ち着きがある。滋味があると形容してもいいほどだ。

　かつてのホン・サンスだったら、冷徹な観察者ポジションから、人間の愚かしさを昆虫でもとめるようにピンで突き刺しレイアウトしていただろう。だが、ここには、そんなクールネスは存在せず、冷笑の気配さえない。

　どこか大らかなのだ。

　嘲るのではなく、微笑みかけている。

　キム・ミニが他人の修羅場をリサーチしているのではなく、修羅場を演じているのはキム・ミニが創造した架空の人物たちかもしれない。そんなことさえ思わせる、奇妙な優しさが画面の通奏低音となっている。

　ホン・サンスは、己のルールという呪縛から解き放たれただけではなく、天国の情景を思わせるほどなだらかな映像を構築することで、かつてないほど気楽になったのではないか。その後の彼は『逃げた女』をはじめ、急進的に女性映画へとシフトし、しかも枯れることなく、熟しすぎることもなく、気負わずハイペースで映画作りを継続中。いつ立ち止まっても、立ち止まらなくても、どっちでもいい自由。それを『草の葉』は保証しているのだ。

**相田冬二**（あいだ・とうじ）
書籍『作家主義ホン・サンス』にて作品論を11本執筆。『イントロダクション』劇場用パンフに作品論を寄稿。『カンウォンドのチカラ』『オー！スジョン』劇場アフタートークなども。

**作品論23** 川沿いのホテル

# 「早すぎた遺作」を思わせるただならぬ風情

市山尚三

**川沿いのホテル**　韓国／２０１８年／モノクロ／96分
강변호텔　Hotel by the River
監督・脚本 ホン・サンス　撮影 キム・ヒョング　編集 ソン・ヨンジ　出演 キ・ジュボン、キム・ミニ、クォン・ヘヒョ、ソン・ソンミ、ユ・ジュンサン
第68回ロカルノ国際映画祭 主演男優賞（キ・ジュボン）
第56回ヒホン国際映画祭グランプリ・監督賞・主演男優賞（キ・ジュボン）
日本初上映 ２０１８年11月17日（第19回東京フィルメックス）
漢江沿いの静かなホテルに滞在する老詩人ヨンファン（キ・ジュボン）は、自らの死期が近いのを察し、長男の映画監督キョンス（クォン・ヘヒョ）と次男ビョンス（ユ・ジュンサン）を呼び寄せる。ヨンファンは同じホテルに滞在する女性サンヒ（キム・ミニ）を見初め、思慕を募らせるなか、ようやく疎遠だった息子たちと再会を果たす。

写真提供　FINECUT

『川沿いのホテル』は、今後ホン・サンスのフィルモグラフィーを振り返った時、ひとつの節目とみなされるであろう重要な作品である。これまでのホン・サンス作品の中で私がひとつの節目と感じていたのは、監督第4作の『気まぐれな唇』(02)だ。鮮烈なデビュー作『豚が井戸に落ちた日』(96)以降、ホン・サンスは独特の突き放した視点から、人間を見つめた作品を作り続けてきた。そして『気まぐれな唇』には、まだ3本しか撮っていないにも関わらず、一人の映画作家が頂点に達してしまったかのような凄みを感じた。これほどの傑作を撮ってしまった後に何を撮るのだろうか、と思っていた中で登場したのが『女は男の未来だ』(04)だが、それ以降、ホン・サンスの作品は明らかに変容してゆく。その人間観察の鋭さは変わらないものの、映画自体の構成はよりシンプルに、そしてよりコミカルな要素を帯びるようになった。製作のペースもスピードアップし、1年に1本どころか、年によっては2本も新作が見られるという現代の映画界においては特異な地位を築くことになった。一見、同じことを繰り返しているようにも見えるが、微妙なところで新しい試みを見せるのがホン・サンス作品の魅力である。だが、『川沿いのホテル』を見た時、何かただならぬことが起こっているような驚きを感じたのは、私だけではないはずだ。

映画の舞台は題名の通り、漢江のほとりにある小さなホテル。このホテルに逗留している年老いた詩人ヨンファンが主人公だ。自分の死が近いのではないかと感じているヨンファンは、疎遠となっていた二人の息子たちをホテルに呼び寄せる。この親子3人の会話から、ヨンファンは妻と子供たちを捨てて別の女性のもとに走ったこと、そしてその女性とは別れて今は一人で侘しく暮らしていることがわかる。

まず、ホン・サンスが老境に差し掛かった人物を主役に据えたことに驚く。しかもその人物設定は、ホン・サンス本人の、いや、正確に言うとホン・サンスのそう遠くない未来を、幾分自虐的にデフォルメしたかのような設定である。このヨンファン役を演じるキ・ジュボンは、最近のホン・サンス作品には欠かせない常連俳優だが、もともと名脇役という印象が強い。珍しく主演に抜擢された本作でロカルノ映画祭男優賞を受賞している。

ヨンファンを二人の息子たち（やはりホン・サンス作品の常連であるクォン・ヘヒョとユ・ジュンサンが演じている）が訪ねてくる場面は、この映画の中でも最も奇妙な瞬間だ。ヨンファンは息子たちとホテルのカフェで待ち合わせるが、彼らは明らかに同じ空間にいるにも関わらず、なかなか互いを見つけられない。この演出が何を意図したのかは分からないが、観客にある種の不安感を与えることは間違いない。一瞬、ヨンファンは息子たちと別の世界にいるのではないか、という考えすら頭をかすめる。あるいは、この演出はただ単に長年疎遠であった親子の関係を、象徴的に表現するためのものなのかもしれない。だが、ヨンファンが息子たちを呼び寄せる理由が、自分の死が近いことを察してのことであると考えると、このカフェでの待ち合わせの場面に何やら不吉な雰囲気が感じられる。

この親子三人の他に、既婚者との恋愛が破局した傷心を癒すために同じホテルに滞在している女性サンヒ、そして、サンヒが呼び寄せた女性の友人（ソン・ソンミ）が登場する。サンヒを演じるのは今やホン・サンス作品のミューズとも言えるキム・ミニだ。恐らくサンヒを気に入ったらしいヨンファンは、しきりにサンヒたちに話しかける。このあたりの会話はホン・サンスの本領発揮だ。キ・ジュボンの飄々とした演技も相まって、主人公が死に向かっているという設定を忘れてしまうぐらいだ。これまでのホン・サンス映画なら、そのままのコメディ・タッチのペースで映画は終わっていたかもしれない。だが、『川沿いのホテル』の結末はそのようには進行しない。

この『川沿いのホテル』の直前に、『草の葉』(18)という60分あまりの短い作品がある。これはカフェに集まっている数組の人々の会話を中心に構成されたものだが、その会話の中で死んだ知人についての会話が強烈な印象を残す。また、『川沿いのホテル』で主役を演じたキ・ジュボンは、『草の葉』にもカフェの客の一人として出演しているが、その役回りは自殺未遂した元劇団員という設定であった。一見、ホン・サンスが得意とする軽妙な会話劇のように見えながら、実際には「死」の影が随所に感じられる『草の葉』に続き、より一層強く「死」が影を落としているのが、『川沿いのホテル』だと言える。同じ年に公開されたこの2作品を続けて見た時、ホン・サンスの中に何か大きな変化が起こっていると感じた。当時のホン・サンスは58歳。老境と言うにはまだまだ時間のある年齢である。だが『川沿いのホテル』を見終えた時、この作品が遺作となってもおかしくないような複雑な感情がよぎった。ことによると、ホン・サンスはこの映画を最後に引退してしまうのではないか、と。

だが、幸いなことにホン・サンスは、その後も次々と新作を監督し続けている。『川沿いのホテル』は、いわば〝早すぎた遺作〟とも言うべき作品となった。とはいうものの、美しい冬景色の中で展開されるこの作品は、ホン・サンスのフィルモグラフィーの中でも独特の位置を占める傑作として輝き続けるだろう。

**市山尚三**(いちやま・しょうぞう)
1963年生まれ。映画プロデューサー。東京国際映画祭プログラミング・ディレクター。元東京フィルメックス・ディレクター。ジャ・ジャンクー作品を製作。第37回川喜多賞受賞。

作品論24　逃げた女

# 同じ話の繰り返しに本心なんてない

児玉美月

**逃げた女**　韓国／2020年／カラー／77分
도망친 여자　The Woman Who Ran
監督・脚本・編集・音楽 ホン・サンス　撮影 キム・スミン　出演 キム・ミニ、ソ・ヨンファ、ソン・ソンミ、キム・セビョク。クォン・ヘヒョ、シン・ソクホ、イ・ユンミ、ハ・ソングク
第70回ベルリン国際映画祭 銀熊賞
日本公開 2021年6月11日　配給 ミモザフィルムズ
結婚して五年、一度も離れたことのない夫が出張に出かけ、ソウルに住むガミ（キム・ミニ）は、郊外で暮らす先輩の女たちを訪ねる。泥沼離婚の末、女性と同棲するヨンスン（ソ・ヨンファ）、独身のピラティス講師スヨン（ソン・ソンミ）。――それぞれの家でささやかな人生の一幕を垣間見たガミは、映画館で昔恋人を奪われた同級生ウジン（キム・セビョク）と出会う。



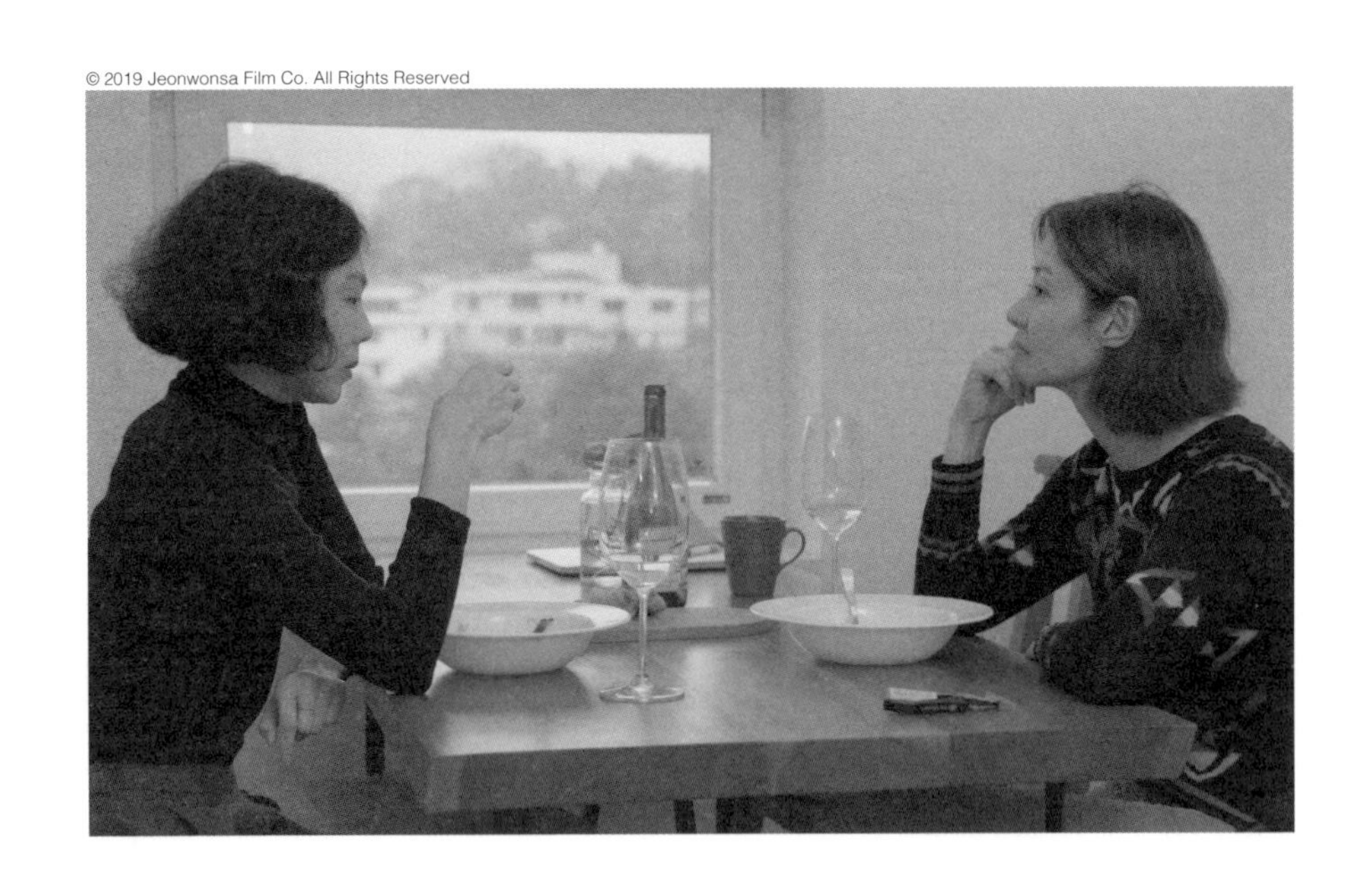

夫が出張で不在の期間中、ガミは離婚して都市部から地方へと越したヨンスン、ピラティスの講師として貯金しながら暮らすスヨンを訪ねてゆく。そして最後に訪れる先の映画館では、ガミの元恋人(クォン・ヘヒョ)と結婚したウジンと偶然出くわす。この三部構成で綴られた『逃げた女』を観てゆくと、まず一話目と二話目の形式的な類似性に気づくだろう。いずれもひとりの男の闖入によって、女たちの会話は遮断されてしまう。ヨンスンの家では「妻が怖がるので野良猫に餌を与えないでほしい」と求めてくる隣人(シン・ソクホ)、スヨンの家ではスヨンが遊びで寝ただけの詩人(ハ・ソングク)が詰めかける。ホン・サンス映画にとってこれまで不可欠であった作家や映画監督、先生など世界の中心であるかのようだった男たちは、ここではカメラに背を向けてばかりで、つねに脇に追いやられている。女たちは男による小さな攻撃性との遭遇を余儀なくされ、ホン・サンスは批判的な自己言及による内省を行なっているかのようだ。元夫や思いを寄せてくる男から逃げたヨンスンとスヨンは、その意味で「逃げた女」といえるかもしれない。

もうひとつ、一話目と二話目において監視カメラの映像を覗き込むガミのショットが反復されている。これはガミが、彼女自身「逃げた女」でありながら、同時に「逃げた女」たちを見つめる女でもあって、この映画において特権的な立ち位置にいることを証し立てるだろう。窃視的な身振りをするガミはまるで役者が演じる役のリサーチに勤しむかの如く、ほかの女たちの生活の実態をその身に取り込もうとしているかのようである。ガミは友人から近所の奥さんが夫と子供を置いて出て行ったという話を聞いたとき、実践を目論む者のように「なぜか」ではなく「どうやってか」と尋ねている。

酒も食事も用意された食卓を囲む計画的な二度の出会いに反し、三話目は偶然的な出会いによって物語が駆動する時点でやや様相が異なる。ホン・サンス映画は厄介なもので、同じ形式が繰り返されればもはや慣れ親しんできた観客は自動的に差異を探すよう仕組まれている。件の監視カメラのモチーフは、三話目で劇場のスクリーンへと変容を果たす。つまりガミの見つめる先が、監視カメラのモニターから映画館のスクリーンへと入れ替わるのである。内から発光する光が映し出される液晶画面と外から投射する光が映し出されるスクリーンの前に人間が立ったときの明確な差異を、映画は刻み込む。劇場に入ったガミがわざわざスクリーンの前を横切り、映し出された映像に黒い影を落とす。観客は影の形態をもって映画の一部になれるのだという決定的な瞬間が、そこに生起される。映画に映し出されるのは「誰」か。むろんそれは「役者」にほかならない。なぜそこでガミが「役者」であると視覚的に暗示されなければならないのか。それはひとえに、ガミが「嘘」を言っているからではないか。

結婚してから夫とは五年間、一日も離れたことがない……。愛する人とは一緒にいるべきだという夫に従って、ずっと一緒にいたのだとガミは話す。それはそれは毎日楽しい瞬間ばかりだったのだ、と。一度目ならばその種の関係性もありえるかもしれないと納得しながら聞けるが、何度となく同じ言葉を聞いていると次第に訝しさが増してゆく。ガミはまるで台本に書かれた台詞を毎度読んでいるかの如くに語る。幸せだと何度も繰り返すのは、たいてい自分自身にそう言い聞かせるための呪文であって、それは不幸な人間のすることである。ウンジとガミの手の重なり合いをズーミングし、クロースアップで映す弛緩した時間、そこにはほのかなクィア的ニュアンスを看取することも十分に可能かもしれないが、ここで注視したいのはその薬指——結婚したか否かを確認し合う女たちの左手の薬指では、ウジンが指輪を光らせている一方、ガミは空白である。そしてなにより、有名になった夫に嫌気が差しているウジンが発する「同じ話の繰り返しに本心なんてない」

という言葉こそ、ガミの、そしてこの映画の真実が凝縮されている。欠伸する猫へのズームはじめ、一見して楽観的な擽（くすぐ）りに満ちてもいる『逃げた女』は既婚者との恋愛に破れてドイツへとひとり飛んだ俳優役をキム・ミニが務めた『夜の浜辺でひとり』（17）と陽画と陰画のような対照的な関係を結ぶが、『逃げた女』の軽快さの裏には鈍重な物語が潜伏しているように思えてならない。

「田舎では、窓は劇場や散歩道の代わりをする」と書き記したのはフロベールの『ボヴァリー夫人』だったが、一話と二話でとりわけ印象的であった女たちの談笑のかたわらにあった山々が覗く窓の四角いフレームは、三話では海辺が広がる劇場のスクリーンの四角いフレームへと取って代わられている。したがってガミのいる劇場は彼女にとって避難先の安全な港のようでもあるが、そこには新たな航海が待っているのだろうか。そこはかとなく希望めいたものを感得できるのは、ガミが眺めるスクリーンに映った海の画が、一度目は白黒だったにもかかわらず、最後には色彩を獲得しているからだ。女の「逃げた」先の場所が映画館であったのは、『逃げた女』がホン・サンス流の映画讃歌でもあることを告げるものでもある。「同じ話の繰り返しに本心なんてない」とは、同型の物語空間がわずかに捻転しながら反復されゆく構造を携えるホン・サンス映画そのものを指す箴言のようにも聞こえてしまう。この映画にかろうじてある「本心」とは、孤独の先に行き着くのはもう映画ただそれだけしかない、ということに尽きるのかもしれない。

**児玉美月**（こだま・みづき）
映画批評家。共著に『反＝恋愛映画論』『「百合映画」完全ガイド』。「キネマ旬報」の星取表、「映画芸術」の座談会に毎号参加しているほか、「文學界」「ユリイカ」などの雑誌に執筆。

**作品論25**　イントロダクション

# 3つのエピソードに見る ホン・サンス映画の妙味

宇田川幸洋

**イントロダクション**　韓国／2021年／モノクロ／66分
인트로덕션　Introduction
監督・脚本・撮影・編集・音楽 ホン・サンス　主演 シン・ソクホ、パク・ミソ、キム・ヨンホ、イェ・ジウォン、キ・ジュボン、ソ・ヨンファ、キム・ミニ、チョ・ユニ、ハ・ソングク
第71回ベルリン国際映画祭 銀熊賞
日本公開 2022年6月24日　配給 ミモザフィルムズ
未熟な青年ヨンホ（シン・ソクホ）は韓医学の治療師である父（キム・ヨンホ）に会いに行くが、急患が来て果たせない。服飾デザインを学ぶためドイツへ渡った恋人ジュウォン（パク・ミソ）を、ヨンホは衝動的に訪ね、友人のジョンス（ハ・ソングク）を連れて、東海岸（トンヘアン）にいる母（チョ・ユニ）と再会する。モラトリアム期を経て、駆け出しの俳優になった若者を、3話の断片から浮かび上がらせる一篇。

ホン・サンスのカットの組み立てかたの特徴のひとつとして、登場人物たちが見て話題にしている画面外の、彼らの視線の先にあるものを見せない、ということがあるように思っていた。普通の映画のつくりかただと、登場人物の視線の先にあり、彼の意識にのぼっているものに、反射的にキャメラを向ける。カットでつなごうと、パンしようと、ただちにそれを見せて観客と共有しようとする。ところがホン・サンスときたら、共有なんかしてやらないよ、とジラしてほくそ笑むかのように、それを見せない。登場人物だけを見ている。このやりかたが彼の作品のミニマルな感じをつよめると同時に、観客に、こういうところで想像力をつかうようにしむけられるのもまた、たのしからずやと、ささやかなクセになる感覚を開発する。

と思っていたのだが、『イントロダクション』を見ると、3話構成のこの映画の各話に1ヶ所ずつ、右にかいたようなホン・サンス的特徴を見せそうなシーンがあるのだが、〞1〞の青年と恋人が歩いてきて、青年が「あそこらへんで待ってて」としめすその場所にキャメラが向けられないのは、従来どおりのやりかた。つぎに〞2〞で、母とむすめが歩いてきて、木の上のほうに枝がかたまって球のようになってるのがおもしろい、と話題にする。ここもそれは見せない。ホン・サンスならそうさ、と観客は納得する。ところが少したってから、二人の視線とは無関係に、木の上にヘンな球のようなものがけっこうたくさんあるというカットを投げこむ。時間差攻撃？　球の形状がおもしろいからサービス・カット？　〞3〞では、青年とその友人がある方向を見ていて、友人が「おまえのお母さんがホテルの窓をあけて、こっちを見てるぞ」「いや、こっちには気づいてないさ」といった会話のあいだはそれを見せないが、二人の会話が終わるや、ベランダに立つ母をうつし、ズームすらする。ホン・サンスのもうひとつの特徴であるズーミングは、室内のきわめて短い距離のところでおこなわれるのがホン・サンス印なのだが、ここはホテルのベランダまでけっこうな距離がある。なので、普通のズームのつかいかたに近い気がする。とはいえ、ズーム・アップとまでいかない中途半端な感じはホン・サンス的か。

といった具合に、ついホン・サンス調を求めてそれに酔いたいファンと、法則をわざとはずし、いなしてみせるサンス——という構図なのだろうか、これは。それとも、ホン・サンスはそんなことは気にしないで、撮りたいように撮っているだけなのか。

それにしても、彼の映画には、ゲーム的なある構造と遊ぶたのしみがあることは否定できないだろう。『イントロダクション』は、それがとりわけ濃厚な1本ではないか。

最初に見たとき、ぼくは、はなしの「地」と「図」が判別できずに目がくらむ思いがした。ありていに言えば、誰がストーリーの主人公で、誰がワキの人物なのか、さっぱり見てとれない。まずファースト・シーンで神に祈る年輩の韓方医（キム・ヨンホ）がそうかと思ったら、〃1〃だけで画面から消え、〃2〃ではドイツのどこやらになり、むすめ（パク・ミソ）とその母（ソ・ヨンファ）が出てきて、キム・ミニの家をたずねる。とはいえ、この映画は近年の多くの作品とはちがって、キム・ミニが主演ではなさそうだ。〃3〃では韓国の海辺（東海の海岸だそうだ）にもどり、〃1〃で韓方医にかかっていた年輩の俳優（キ・ジュボン）が、中年の女（チョ・ユニ）と焼酎を飲んでいる。2話分に出てくるこの俳優が主人公か？

いや、実は3話すべてに出てくる人物がいた。彼が「図」に見えなかったのは、こちらの不覚。ヨンホ（シン・ソクホ）は〃1〃ではガールフレンドと登場し、韓方医の父をたずねる。だが、なかなか会ってもらえず、外で雪の降るなかタバコを吸う。〃2〃では、母子の、むすめの方の恋人で、突然ドイツに追いかけてくる。〃3〃では、俳優が中年女性——ヨンホの母――と飲んでいるとき、途中から参加する。すべて、途中から出てきて、そんなに劇的なこともせず、のほほんとタバコを吸っている。あんまり主人公らしく見えなかったのだ。しかし、3話を通じて登場するのはこのヨンホだけで、すべて彼につながりのあるはなしなので、主人公にちがいない。

ヨンホが主人公と認識して、もういちど見ると、ずいぶんちがった感じに見えてくるのがおもしろかった。ヨンホを少年のころから知っているらしい韓方医院のアシスタントの女性（イェ・ジウォン）と彼は、どんな関係なのだろうか。雪の降るなか、ヨンホは年上の彼女をハグする。

ベルリンでは恋人をハグし、〝3〟では冷たい海にはいった彼を友人（ハ・ソングク）がハグしてあたためる。1話に1回ハグ。シン・ソクホは『あなたの顔の前に』でもハグをするためだけに出てきたような登場を見せ、〝ハグ兄ちゃん〟とでも呼びたい活躍ぶり。タッパのある藤井隆、みたいな容姿が憎めない。

ところで、この主人公ヨンホにまつわる三つのエピソードは、整合性をもってつながるだろうか。そういうことにアタマをつかう観客をホン・サンスは、ニヤニヤ笑って眺めているような気がする。でも、こちらもそういうパズルをたのしめるのだから、それでいいのだ。たぶん見る人ごとに答えがちがい、最初に見たときと2度目でもちがってくることだろう。

気になるのは、〝1〟の彼女と〝2〟のドイツに行った恋人、〝3〟の夢に出てきた元カノは、みんな同じ女優なのか。それとも、ちがうのか。特徴的・個性的な顔をあつめてくるホン・サンスが、この「彼女」には、きわめて特徴のとぼしい女優（たち？）をつかっている。その意図は？　とかんがえるのもたのしい。

**宇田川幸洋**（うだがわ・こうよう）
1950年生まれ。映画批評家。雑誌や映画パンフレットへの寄稿多数。著書に『無限地帯』。共著に『キン・フー 武侠電影作法』ほか。現在、日本経済新聞に映画評を寄稿中。

**作品論26　あなたの顔の前に**

# メタモルフォーゼ監督の秀逸なディテール

## 田中千世子

**あなたの顔の前に**　韓国／２０２１年／カラー／85分
당신얼굴 앞에서　In Front of Your Face
監督・脚本・撮影・編集・音楽 ホン・サンス　出演 イ・ヘヨン、チョ・ユニ、クォン・ヘヒョ、キム・セビョク、シン・ソクホ、ハ・ソングク、ソ・ヨンファ、イ・ユンミ
日本公開 ２０２２年６月24日　配給 ミモザフィルムズ
元女優のサンオク（イ・ヘヨン）は、駆け落ちして渡ったアメリカでの生活を切りあげ、ソウルに住む妹ジョンオク（チョ・ユニ）のもとに身を寄せている。外でランチを共にするうち、疎遠だった二人の間柄が徐々に透けて見え、バーでサンオクが年下の映画監督ジェウォン（クォン・ヘヒョ）と語らううち、彼女がなぜ韓国に戻ってきたのか詳らかになる。

『豚が井戸に落ちた日』(96)は、売れない小説家の自虐的自己憐憫がこってり。

ホン・サンスはずっとこういう映画を作っていくのだろうと思っていたら、自虐趣味が影をひそめ、パリ風の洒落た非人情スタイルに変貌。とても不思議な映画作家のメタモルフォーゼだ。

そして気がつけば東洋のエリック・ロメールと呼ばれるまでに――。

主人公たちは悪びれず自己本位を貫き、ほぼ全員が自画自賛タイプ。特に若い女子や青年に見られる特徴だ。

ロメールの映画でも幸福を求める少女たちの勢いは衰え知らず。妙齢の既婚女性がヒロインの時もかつての少女の延長のように強気が幸福をもたらす。それにならってホン・サンスもカンヌ映画祭を背景にイザベル・ユペールを客演に迎えて、彼女に若いヒロインを応援させた『クレアのカメラ』(17)がある。

ベテラン女優イ・ヘヨンがわけありの元女優を演じる『あなたの顔の前に』は、自分自身を応援する若くないヒロインの話である。

むずかしい設定だ。

久しぶりにソウルに里帰りしたサンオクは、妹の家で目を覚ます。顔にただよう疲労感。何かある。何かあって彼女はここにいるのだろう。人生がうまくいっていないのか?

屈託なく目覚める妹。近くにおいしいパン屋があるからそこで朝食をとろうということになる。サンオクは遅いランチの約束を妹に告げると、ではそこからランチへ向かえばいいということになる。

洒落た屋外カフェ。くつろぐふたりの向こうに公園が見えて、ここはパリかウィーンあたりの人気スポット?

朝からの姉妹の会話で、サンオクはアメリカで暮していること、そのアメリカ行きは妹に何も話さず決行して、妹はたいそう傷ついたことなどがわかる。

アメリカ行きは駆け落ちだったのか？　その相手とは今どうなっているのか、などは知らされない。アメリカでは酒類を販売する店を経営したとか。アメリカに家族がいるような話はない。妹は姉にさっさと帰国してソウルに住めばいい、新しい物件でいいのがあるから見に行こう、工事中だけれど外から眺めるだけでもいいと誘う。

サンオクの今の人生は一体どうなっているのか？どことなくリアリティが薄い。そういう風に設定しているのかもしれない。サンオクのトレンチコートが真新しく、しわひとつないのがとても不思議だ。

イザベル・ユペールだったらトレンチコートはしわくちゃのくたびれた状態のはず。それこそが粋というものだ。アメリカ帰りだったら、サンオクもそんなトレンチコートを着ていた方がずっと素敵ではないか。ところが、さっきはじめて袖を通したばかりの新品。ブラウスやスカートも靴もバッグもすべてそんな感じ。本当にアメリカ帰り？

たぶんヒロインの生活感や実在感のリアリティのなさがホン・サンスの狙いなのだろう。新品を身につけてソウルにいる自分を彼女は演じているつもりなのかもしれない。それが元女優の女優魂。

サンオクが知る人ぞ知る女優だということは、朝食後、妹と散歩中に写真のシャッターを頼んだ若い女性（イ・ユンミ）の言葉で観客に知らされる。サンオクがテレビに出ていたことを思い出した若い女性は、しきりに今でもとても肌がきれい、どんなケアをしているのですか？　と話しかける。

「おきれいですね」

たぶん、女優にも元女優にも嬉しくはない褒め言葉だが、相手は心からそう思っている風なので、仕方ない。

若い女性が思い出したテレビのドラマには一度しか出ていないのに、と妹が言う。では舞台女優だったのかな？　とこちらは思う。

姉とは対照的に妹の人生や生活はたいそう具体的

だ。

妹の息子（シン・ソクホ）はサンオクが大好きだったらしい。サンオクにとっても甥っ子はお気に入りだったようだ。その甥っ子が始めた食堂に姉妹は寄る。甥っ子の彼女がふたりをもてなす。妹のすすめで辛い料理をちょっと食べる。汁がこぼれてブラウスが汚れる。そのシミを取るために濡れたティッシュで拭いたりするが、一度家に戻って着替えることになる。そういうディテールがとても細かくリアルである。

ものを食べたり、煙草を吸ったりするシーンがことのほか多い。煙草の時は箱から出してサンオクが口にくわえ、そして火をつけて一口吸うまでの一連の動作がきちんと映し出される。その前後のサンオクの表情や、彼女の手が胸やその下を押さえる風に動くことに注意がいく。手で彼女は自分の体に語りかけているのだろう。大丈夫？　そうね、大丈夫よね。煙草がおいしいわ、と。きめ細かな演技である。

妹の家には戻らず、約束の場所に向かうタクシーのなかで、場所の変更の留守電を聞いたサンオクはある場所を訪ねる。昔、子どもの頃、暮らした家だ。サンオクの人生がだんだんリアルに再構成される。そして、彼女の映画のファンだった監督との出会い。酒と食事を共にするふたり。サンオクは初めて帰国の理由を明かす。

一気にクライマックス。

見事な構成だ。

サンオクがギターを抱え、たどたどしく奏でるのは『突然炎のごとく』（62）のジャンヌ・モローへのオマージュだろうか。

**田中千世子**（たなか・ちせこ）
映画評論家。映画監督。近刊に『ジョヴェントゥ　ピエル・パオロ・パゾリーニの青春』。監督としてはドキュメンタリーを多く手がけ、13作目の『修験ルネッサンス』が本年公開。

作品論27　小説家の映画

# 予感

杉田協士

**小説家の映画**　韓国／2022年／モノクロ・カラー／92分
소설가의 영화　The Novelist's Film
監督・脚本・撮影・編集・音楽 ホン・サンス　出演 イ・ヘヨン、キム・ミニ、ソ・ヨンファ、パク・ミソ、クォン・ヘヒョ、チョ・ユニ、ハ・ソングク・キ・ジュボン、イ・ユンミ
第72回ベルリン国際映画祭 銀熊賞
日本公開 2023年6月30日　配給 ミモザフィルムズ
書けなくなった小説家のジュニ（イ・ヘヨン）は、大学時代の後輩（ソ・ヨンファ）が営む本屋を訪ねて、ソウルから河南市へ来る。観光がてら行った展望台で、かつて自作を映画化しようとした映画監督ヒョジン（クォン・ヘヒョ）と会い、人気女優だが最近出演していないギルス（キム・ミニ）と偶然知り合う。ジュニはギルスの主演で短編映画を監督したくなり、本屋で詩人（キ・ジュボン）を囲んで酒を飲むなか、その話を続ける。



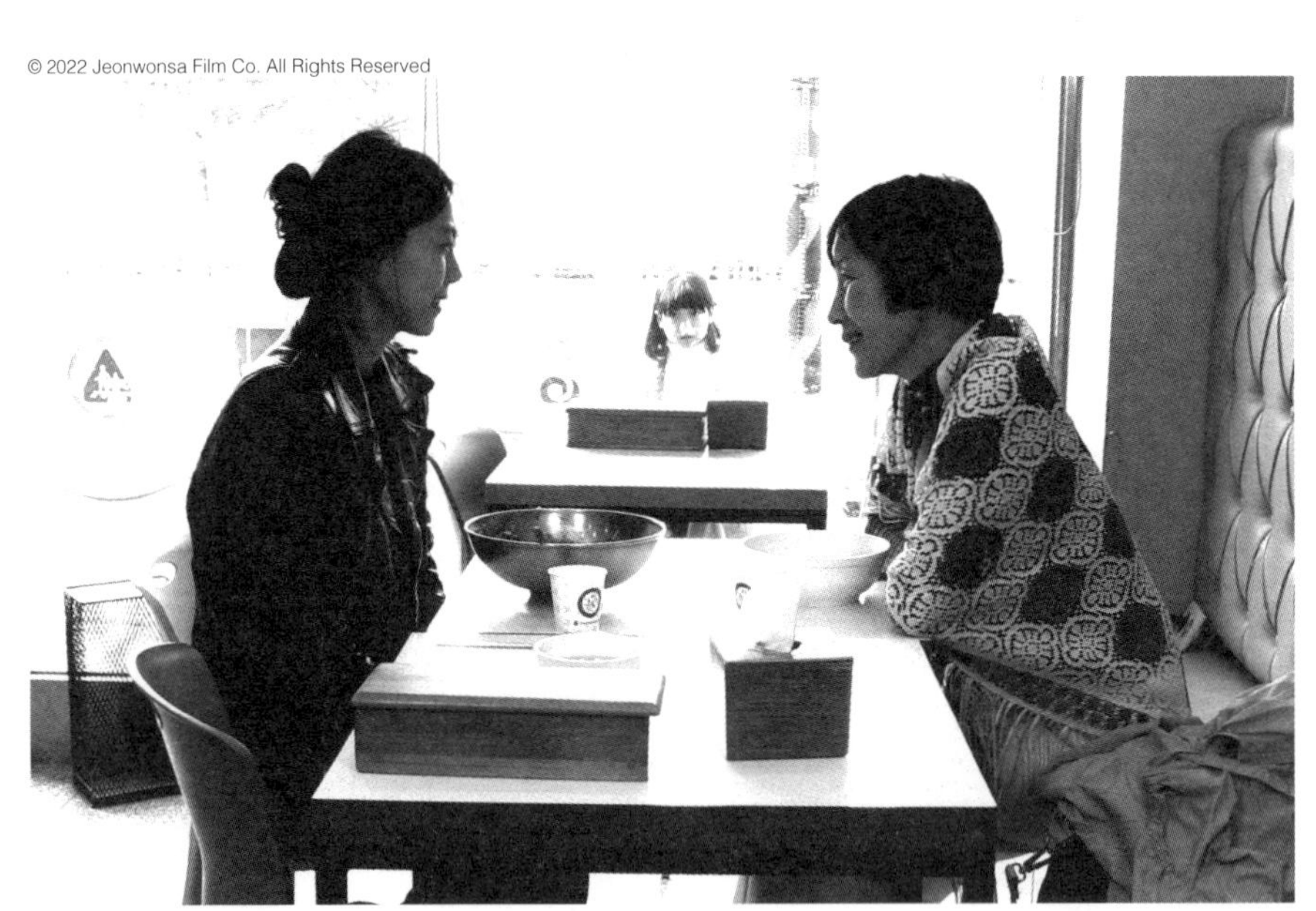

『小説家の映画』で描かれるのは小説家が映画を作る話である。小説家であるジュニは劇中のどの瞬間に映画を作ろうと決心したのだろうか。元々彼女が映画作りに興味を持っていたのは公園で出会った映画俳優のギルスとの会話からも分かる。またジュニは以前にギルスと陶芸家である夫へのインタビュー記事を読んだことがあり、二人のファンになっていたとも言うから、ギルスとの会偶とそこでの対話の過程で思いつきのように二人への映画出演の相談を始めたようにも見える。だがおそらくちがう。

その一時間ほど前、河南(ハンナム)ユニオンタワーの展望フロアで偶然再会した映画監督のヒョジンから借りた単眼鏡のレンズを通して、ジュニはすでに公園の遊歩道を歩くギルスの姿を眼下に見とめている。彼女はきっと自分が映画を作ることになる未来をその時点で予感している。

タワーから見下ろせる公園の駐車場までヒョジンに車で送ってもらったジュニは、わざわざその位置関係を確認する。それは先ほど見かけたギルスが歩いていった方向と自分のいる位置が合致するかの確認であり、彼女と遭遇することを予感しての行動だと分かる。同じ映画業界の人間であることからギルスと面識があるだろうと思われるヒョジンの存在は、ジュニが彼女と出会うきっかけのためには必要であり、まんまとヒョジンが彼女に話しかけてその目的が達成されたあとは早々にその場から退場させられる。ヒョジンがそれくらいの扱いを受けてしまうのは、自分から持ちかけたはずのジュニの小説を原作とした映画の企画をあっさりと諦めたらしい過去があることからも当然だと理解できる。また、前作『あなたの顔の前に』(21)を見れば、ヒョジン役のクォン・ヘヒョが演じる映画監督が、ジュニ役のイ・ヘヨンが演じる引退した映画俳優にそうしたように、ヒョジンもまた酒に酔った勢いで熱心にジュニを口説き、素面になった後に離反した、もしくはそれに相当する何かをしたであろうことは想像がつく。そしてそれが起きたカフェの店名も前作と同様に「小説」だったかもしれない。

ホン・サンスの映画は予感で溢れている。ときにその予感はカットが変わる瞬間に現実となりそうな怖さと隣り合わせにある。デビュー作『豚が井戸に落ちた日』（96）のマンションの高層階の窓辺、第二作『カンウォンドのチカラ』（98）の雪岳山(ソラク)の岸壁、第三作『オー！スジョン』（00）の電源を喪失した南山ケーブルカーなど、特に高所での予感には死の匂いがつきまとう。『あなたの顔の前に』で、ジュニと同じくイ・ヘヨンが演じたサンオクは自らを高所恐怖症だと言い、妹が暮らす高層マンションの一室では窓に近づかないようにしている。ホン・サンスの映画と高所が切り離せない中にあって、ジュニはタワーの展望フロアからわざわざ単眼鏡を用いてまでして地上を見下ろすのである。そのとき偶然にも目に入ったのがギルスの姿だった。だが、おそらくそれは必然だった。ジュニはそれが起きることもすでに予感していたように見える。

ジュニはその日、ソウルの中心部から地下鉄に乗って河南にやってきていた。それはかつての後輩に会うためであり、彼女が経営している書店での再会を果たした後に、ジュニはそこの店員であり手話の勉強をしているというヒョヌ（パク・ソミ）から手話を教わることになる。そのとき彼女が手話への訳を頼んだ言葉は以下の通りである。——外はまだ明るいけど／もうすぐ日が暮れる／天気がいい時に／思いきり歩いてみよう。

ジュニは新しく教わった言語によって丁寧にその言葉を繰り返す。その目には徐々に確信のような光が宿っていく。ジュニはその言葉が自分を導いてくれることになるとおそらく予感していた。まだ日の短い季節の晴れた日の午後に、書店の店主とヒョヌは河南まで訪ねてくれたジュニを車に乗せて観光スポットであるタワーまで案内してから別れる。その展望フロアにおいてジュニは一人の女性が颯爽と歩く姿を遠くに発見するのである。

『小説家の映画』が発表されたベルリン国際映画祭での記者会見において、劇中に挿入されるジュニの短編映画はその一、二年前に自身が作ったものであるとホン・サンスが明らかにしている。そしてそれが台本を元にしていない作品であるとも。その短編映画の撮影現場において、台本とは呼べないほどの短い言葉が記されたメモがポケットの中で握られていたかは分からない。ただ、そのラストの一連のシーンが、ジュニが初めてギルスを目にしたのと同じ漢江沿いの公園で撮影されたことは確かである。

ある晴れた風のつよい日に一人の女性が野花や落ち葉を摘んでブーケを作り、リヒャルト・ワーグナーによる「婚礼の合唱」（1850）を口ずさみながら、誰かが構える録画中のビデオカメラに向かって近づいてくる。ギルスは映画への出演を相談されたときに夫が快諾するかは分からないと何度かジュニに念押しをしていた。おそらくジュニはその後に面会した彼から自分が映らない条件なら構わないと伝えられ、そのことからプライベートなビデオカメラによる主観映像という設定での映画作りを思いついたのだろう。劇中においてカメラを構えるその男性はブーケを手にした女性に向けて「愛してる」と伝え、彼女もまた「愛してます」と返す。カメラのこちらから聴こえた声はホン・サンスその人のものである。これから作る映画はドキュメンタリーではないとジュニはギルスにはっきりと告げていた。本物を邪魔しない物語を私は書くのだと。完成した短編映画の試写が行われている間、ジュニは再び高所に身を置くことになる。映画館の屋上の端に立ち、電子タバコを吸う背中が最後に映る。予感はまだ終わりを迎えない。

**杉田協士**（すぎた・きょうし）
映画監督。『ひとつの歌』『ひかりの歌』に続く長編第3作『春原さんのうた』が第32回マルセイユ国際映画祭でグランプリ、最優秀俳優賞、観客賞の三冠を獲得。

**作品論28** Walk Up（英題）

# 象牙の塔に住まう芸術家たちの虚像

佐藤 結

**Walk Up（英題）** 韓国／2022年／モノクロ／97分
탑 Walk Up
監督・脚本・撮影・編集・音楽 ホン・サンス　出演 クォン・ヘヒョ、イ・ヘヨン、ソン・サンミ、チョ・ユニ、パク・ミソ、シン・ソクホ
日本公開 2024年予定　配給 ミモザフィルムズ
有名な映画監督ビョンス（クォン・ヘヒョ）は、疎遠だった娘のジョンス（パク・ミソ）を連れて、インテリアデザイナーのヘオク（イ・ヘヨン）を訪ねる。やがて親子がヘオクの所有するこのビルに居ついて、各フロアを間借りする住人の男女と親しく交わるうち、名声あるヘオクとビョンスの隠れた一面が明らかになり、良好な人間関係は他人行儀なものへ様変わりしていく。



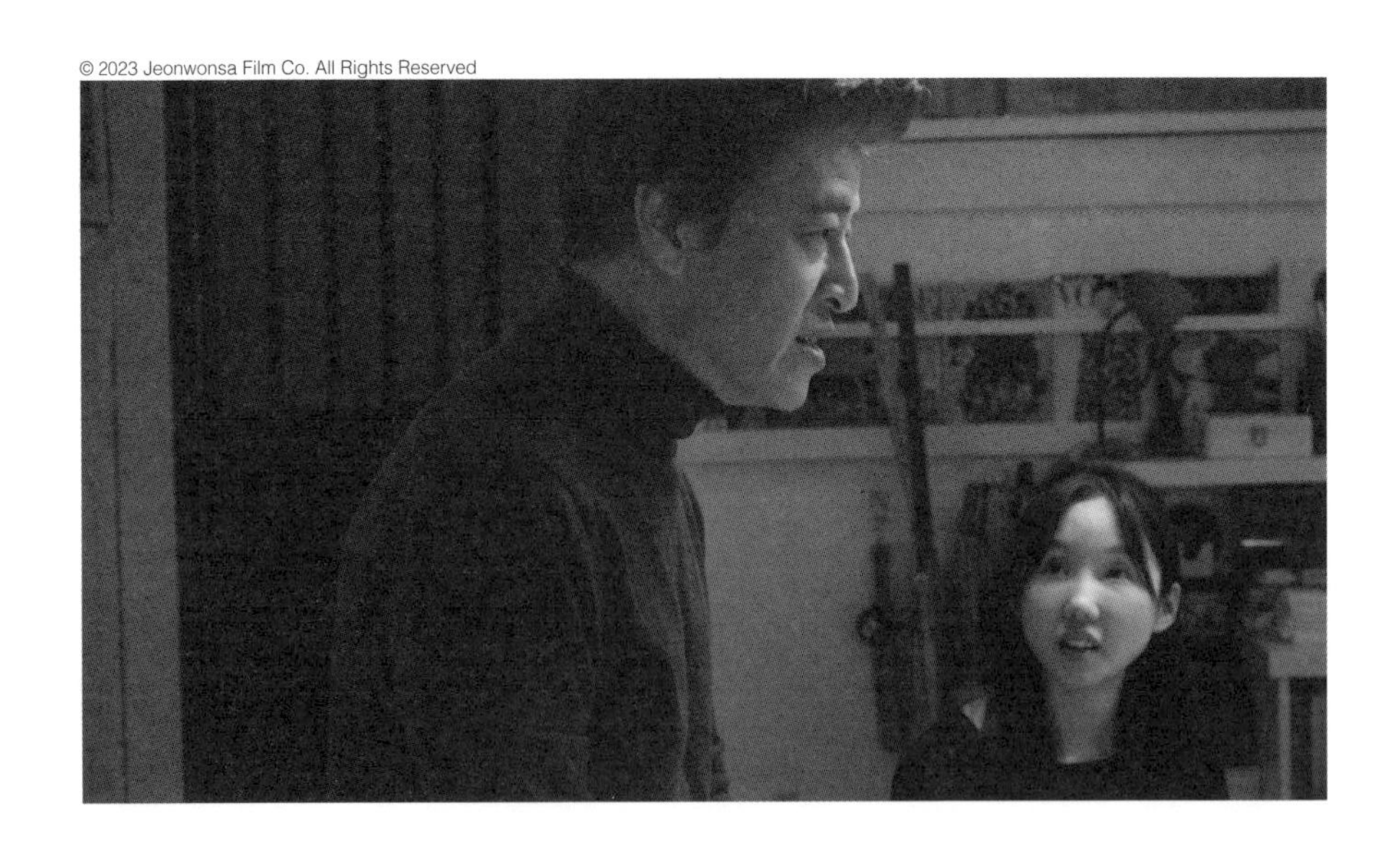

ホン・サンス映画を理解するカギはタイトルに隠されていることが多い。

『Walk Up』の冒頭、スクリーンいっぱいにひとつの文字が映る。この映画の原題である「塔」をハングルで記したものだ（アルファベット表記はtab）。上の段に子音＋母音、下の段に子音という三つの要素で構成された文字はまるで二階建ての建物のようにも見える。「これから見るこの映画は、塔のような形のひとつの建物の中だけで撮影されている」とあらかじめ宣言しているのだろうか。ホン・サンスの映画といえば、ソウルと地方都市、時々、外国の都市を舞台に作られ、それぞれのロケ地を魅力的に見せることでも知られてきたが、ソウルの裏通りにある地上3階、地下1階建ての小さなビルの中（とその前を通る道）のみが登場する今作は、撮影場所が限定されているということだけを考えても、それまでとは違う映画になっていることがわかる。さらに4章に分かれたこの映画では、新しい章が始まるごとにクォン・ヘヒョ演じる主人公ビョンスが建物を1階ずつ上がっていく。英語タイトル「Walk Up」はこのことを意味している。

クォン・ヘヒョをはじめ、娘役のパク・ミソ、ビルのオーナー役のイ・ヘヨンと、ここ数年のおなじみの俳優たちが登場。『あなたの顔の前に』（21）、『小説家の映画』（22）と映画の中心を担ってきたイ・ヘヨンは、今作では人と人をつなぐ狂言回し的な役柄に徹している。

映画監督ビョンスが娘ジョンスを連れてやってくる。このビルのオーナーで、インテリアデザイナーでもあるヘオクを紹介するのが目的だ。到着するやいなや「とてもきれいな建物ですね」とビルを褒めるビョンスを温かく迎え入れたヘオクは1階のレストランで食事をしながら彼らと言葉を交わす。家族と別居中のビョンスはジョンスと会うのも5年ぶりだ。食事を終え、ビルの中を案内するヘオク。螺旋階段のような狭い階段が中央部に通った建物は外壁もインテリアも白が基調の洒落た作りで、どこかヨーロッパを思わせる。2階はレストランの個室、3階は小さなキッチンのついたスペースで、あるカップルに貸しているという。住人たちは皆、気持ちのよい人ばかりで部屋には鍵もかけず自由に出入りをしていると当たり前のように言うヘオクに少し驚くビョンス。4階は屋上スペースが部屋とテラスに分けられている。まもなく部屋が空くので、ここに住まないかと誘うヘオク。その後、3人は地下にあるヘオクの作業室でワインを飲み始めるが、プロデューサーからの電話を受けたビョンスは打ち合わせに出かけてしまう。

第2章では2階の部屋でヘオクとビョンスが食事をしている。2人の会話から、娘ジョンスがヘオクと一緒に仕事を始めたものの、すぐに辞めてしまったことがわかる。2人の席に加わるレストランの主人ソニを『浜辺の女』(07) 以来の常連俳優であるソン・ソンミが演じているせいか、グラスを重ねながら男女の距離が近づいていくこの場面は、『正しい日　間違えた日』(15) 以前の〝懐かしき〟ホン・サンス映画の雰囲気を感じさせる。

第3章でビョンスはソニと共に3階の部屋で暮らしている。2章で「クランクイン直前だった映画の撮影が中止になった」と嘆いていた彼はすっかり映画から離れ、体調も崩してしまっているようだ。郵便物を届けにきたヘオクに対してもやや不満げに建物の不具合を訴える。さらに4章でビョンスは4階の部屋に移り、訪ねてくるのもソニとは違う別の女だ。ヘオクとの関係もすっかりよそよそしくなっている。

まるで西洋のおとぎ話のように、主人公が「塔」の中に閉じ込められてしまうこの映画では、階を上がっていくごとに、「有名な映画監督」というビョンスの見かけと虚勢が剝ぎ取られていく。第1章でヘオクは、すばらしい賞を受けた彼を絶賛し、娘ジョンスに有名な父親を持つことについて尋ねる。しかし、娘は「外では有名かもしれないが私にとっては違う」と言い、彼がいかに怖がりであるかを語る。第2章ではビョンス自身がソニの前で怖がりであることを認めるが、神など信じないとうそぶく。そんな彼も第4章になると、恋人に向かって「神様に会い、済州島に行って12本の映画を作れと言われた」と真顔で話すようになる。しかし、彼は済州島はおろか、この「塔」からさえ抜け出すことはできないのだ。まるで、自分の人生から逃げることなどできないと言われているかのように。

ビョンスの「中身」が娘ジョンスによって早々に明らかにされるように、周りにいる人のことを絶賛していたビルのオーナー、ヘオクについても、レストランの従業員ジュールが「成功した人や、言うことを聞く人が好きみたい」と、その別の顔をジョンスに語る。ジュールを演じているのは、『イントロダクション』(21)のシン・ソクホ。近年、老いや死を作品の中で取り上げるようになってきたホン・サンスが、自分と同世代の主人公たちの人間性を下の世代に語らせているのがおもしろい。

固定したカメラで撮影するホン・サンスの映画は、ズームを使って一気に画角を変える手法がおなじみだが、今作では屋上から階下を覗き込む娘に対してジョンスがかける声や、寝室で横たわるジョンスの姿に重なるソニとの(未来の?)会話など、フレームの外から聞こえる音が、見えない場所で起きていることへの想像力をかき立て映画の謎を増幅させている。

「映画」という名のホン・サンスの試みは一作ごとに、新しい。

**佐藤 結**(さとう・ゆう)
映画ライター。共著に『韓国映画で学ぶ 韓国の社会と歴史』『作家主義 韓国映画』。スカパー!の映画サイト「映画の空」に韓国映画についてのコラムを連載中。

作品論29 In Water（英題）

# 必然的に選択され、観客を水の中に誘う、突出した意欲作

矢田部吉彦

**In Water**（英題） 韓国／2023年／カラー／61分
물 안에서 In Water
監督・脚本・撮影・編集・音楽 ホン・サンス 出演 シン・ソクホ、ハ・ソングク、キム・スンヒョン
日本公開未定
若い俳優ソンモ（シン・ソクホ）は短編映画を監督するため、カメラマンのサングク（ハ・ソングク）と女優ナムヒ（キム・スンヒョン）を連れて、済州島（チェジュ）へ行く。ソンモは即興的な作品を思い描いており、ふさわしい陽の光が現れるのを待ち、波や池の魚、岩場でゴミを拾う女性に題材を求める。これまで監督や俳優を主人公にしながら、撮影現場を題材にしたことのなかったホン・サンスが、初めて撮ることを扱った作品。

写真提供 FINECUT

「これから本編の上映を開始しますが、映写がおかしいと思われるとしてもそれは演出ですので、映写室にクレームを入れないで下さいね。」

２０２３年2月、ワールドプレミアの場となったベルリン映画祭において、上映前に登壇した映画祭スタッフによる事前注意コメントである。

もはや（ベルリンだけでなく、どの映画祭でも）恒例ともなっていたコンペティション部門でなく、先鋭的で野心的な作品を集める第2コンペ的な「エンカウンター」部門への出品となったことに、おや、どういうことだろうと思ってはいた。さらに、日本の配給会社のバイヤーからは、作品の権利元からの売り込みのトーンがいつもと若干違うという声も耳に入っていた。どうやら今回のホン・サンスは少し違うらしい。そのような期待を抱いて臨んだ上映の前に冒頭のコメントが発せられるとなると、俄然興味も倍増するというものだ。さて、何が違うのだろうか。

全編がピンボケであった。

話の焦点がずれているとか、主題が見えないとかの中身のことを言っているのではなくて、物理的に映像がピンボケなのである。正確を期すと、序盤にいくつかはピントが合って人物の顔が認識できるシーンもある。しかし8割ほどはフォーカスがどこにも合わない、「アンチ・パン・フォーカス」であり、（撮影監督の）グレッグ・トーランドが草葉の陰で苦笑しているような絵なのだ。しかも、ボケ度が浅い場面と、ボケ度が深くて完全にボッケボケという場面に分かれ、ボケの程度も演出で計算されているように見える。ピンボケの度合いによってシーンの解釈を試されることなど、かつて無い経験だ。

もはや映画に新しい手法など残されていないだろうと誰もが信じる中、このコロンブスの卵をたたき割るような、映画はピントが合っていないといけないという常識は誰が決めたのだという身も蓋も取っ払った革命的な手法はしかし、極めて美しく、詩的な効果を発揮しているのであった。印象派の絵画はピントが合っているのか、ターナーの絵はピントが合っているのか。なぜ映画ではそれが許されないのか。ホン・サンスがそう考えたかどうかは分からないけれども、夢の中、いや、水の中に観客を誘う。

短編映画の撮影をすべく、3人の若者が済州島を訪れる。晴天が広がるが、まだ肌寒い季節。監督は俳優も兼ねる青年で、どこか不退転の決意のようなものを抱きながら初監督作品に挑もうとしているが、肝心のアイディアは固まっていない様子である。カメラマンのもうひとりの青年は監督経験があり、頼りにされている。彼ら2人に若い女優を加えた3人は、島に昔から残る細い路地や美しい海岸沿いを歩きながら、監督にアイディアがひらめくのを待つ。

散歩を続けていると、海岸沿いの遊歩道の下の崖に、監督青年は人影を見つける。崖の下に降りてみると、ひとりの女性が岩の間のゴミを拾っている。どうしてそんなことをしているのか、と監督青年が訪ねると、女性は「ゴミが多いし、誰かがやらないといけないし」と答える。

映画のプロットが決まった。監督青年はカメラマンと女優に説明する。「崖の下の女性とのやりとりを再現する。上の遊歩道では観光客が呑気に観光を楽しんでいるのに、下の岩場では女性が無私の心でゴミを拾っている。その状況に感動した青年は女性と行動をともにしようとするが、女性はそのうち嫌がってしまい、青年を拒絶する。とはいえ青年はいまさら〝上〟には戻れない。上と下の世界から追放された青年は、海に入っていく」

撮影が始まる。

ホン・サンス作品に映画監督は頻繁に登場するが、本作の監督はおそらく最も若く、最も未経験で、最もピュアである。青年は映画に用いる音楽として、かつての恋人のバースデーに贈った自作の曲を使用しようとするが、残された録音では彼女が歌っているため、数年振りにその相手に電話をして許可を得ようとする。おそらく青年は多くを失っており、その電話は喪失感を強調するようであり、かつて存在したはずの愛を確認する行為でもあるのだろう。カセットテープのような再生音で聴こえてくるのは、どこかノスタルジックで悲しげなギターの旋律であり、それは映画本編でも使用され、観客の感情をざわつかせながら、初期ゴダール的にブツっと途切れたりもする。

ホン・サンス自身の青春が反映されているのだろうと想像しないでいるのは難しい。上にも下にも行けない、リンボのような、宙ぶらりんの心境を経てきたに違いない。そしてその心象の記憶の輪郭は、もはやぼやけているものの、抱いた感情が消えることはないのだろう。人生と恋愛に行き詰った青年監督の心境を、かつての恋人が歌っている。カセットテープから聴こえるその歌声は、かつてのホン・サンスの恋人なのだろうか。キム・ミニも出演はしているものの、ホン・サンスの青春とは関わりがないからか、その顔は全く識別できない。青年監督とホン・サンスの境界線をピンボケがかき消していく。そして青年監督の姿は、文字通り周りの景色に溶け込み、砂浜と海と空と一体化していく。

おそらく本作のピンボケは実験的に試みたスタイルではなく、この青春の物語を描こうとした際に必然的に選択されたものであるのだろう。今後は繰り返されないと予想する。

非常にパーソナルで、特異な美しさを誇る、ホン・サンスの豊富なフィルモグラフィーの中でも突出した異色作であることは間違いない。

**矢田部吉彦**（やたべ・よしひこ）
東京国際映画祭でコンペティション部門と日本映画部門の作品選定を長年務め、現在、フリーランス。共著に『観ずに死ねるか!』。noteにカンヌその他の映画祭歴訪日記を毎年執筆。

作品論30 In Our Day（英題）

# 我々のいつもの日常と、ふたつの会話の行方

矢田部吉彦

**In Our Day**（英題） 韓国／2023年／カラー／84分
우리의 하루 In Our Day
監督・脚本・撮影・編集・音楽 ホン・サンス 出演 キ・ジュボン、キム・ミニ、パク・ミソ、キム・スンユン、クォン・ヘヒョ、チョ・ユニ、ハ・ソングク
日本公開未定
女優のサンウォン（キム・ミニ）は韓国に帰国し、愛猫と暮らす女ともだちジュンス（ソン・ソンミ）の家に滞在している。一方、年輩の詩人ウィジュ（キ・ジュボン）は最近、猫を亡くしたばかり。ある日、サンウォンのもとを従妹の若い役者志望のジス（パク・ミソ）が訪ね、ウィジュのもとを若い女性の学生ドキュメンタリー作家キム（キム・スンユン）と俳優志望の男子学生ジェウォン（ハ・ソングク）が訪ねる。女性3人の光景と男女3人の光景が交互に示されるなか、キャリアと名声、飲食と節制、人生の意味をめぐる議論が展開される。

写真提供 FINECUT

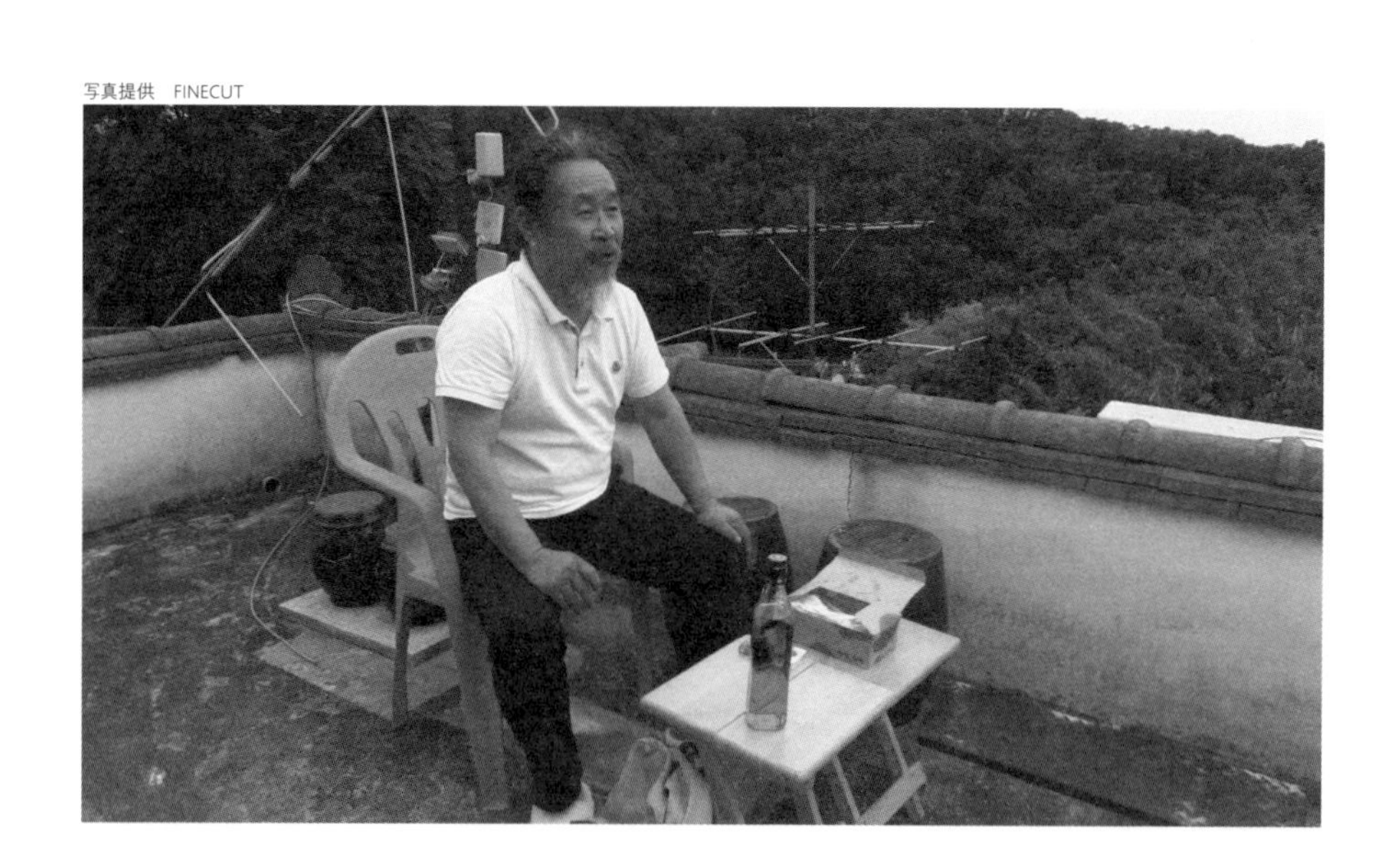

30作目の長編であることを意識したかどうか、実験的な手法が試みられた前作から一転、ホン・サンスは「いつもの」作風に戻り、少しだけ問題を抱えた大人たちによる会話劇を通じ、いつものように我々の生きる日常を描いてみせる。限定された場所における限定されたシチュエーションを切り取っているだけなのだが、それがまるで我々の日々そのものにも感じられてしまうという、まさにホン・サンスの面目躍如たる作品である。

　舞台となる場所はソウル内の2カ所。1カ所は、若くして引退を決意した女優サンウォンが心の整理を付けるために訪れた友人の女性ジュンスの家。サンウォンは一時的にジュンスの部屋に住むことにしたらしい。おしゃべりをしながら、サンウォンはジュンスの愛する丸々と太った飼い猫と戯れる。やがてサンウォンの若い従妹で役者志望のジスがやってきて、サンウォンにアドバイスを求める。

　もう1カ所は、老詩人の男性ウィジュの自宅。若い女性が映画学校の卒業制作作品としてウィジュにキャメラを向け、ドキュメンタリーを撮っている。そこに俳優志望の青年ジェウォン（ハ・ソングク）が現れ、尊敬する詩人から何か言葉をかけてもらいたいと言う。若者たちに尊敬されるウィジュは満更ではなく、2人の相手をする…。

　ふたつの場はそれぞれ独立したエピソードとして、関連し合うことなく交互に繋がれていく。同じ日の出来事とも見えるが、定かではない。そして、おそらく詩人のウィジュと女優のサンウォンとは父娘であるが、それも定かとは言えない（が、そう思って見ると楽しみは増す）。

　関連の無いふたつの場面ではあるが、サンウォンとウィジュがそれぞれ若者の訪問を受けるという相似の構造を持つ。そして、そこでは芸術と人生という深い問いが投げかけられ、サンウォンとウィジュの対応が比較されるように並置される。もちろん、明解な答えなどはあるはずがないのだが、例えばサンウォンは従妹の問いかけに対し、演出家の指示に従った場合と自分の意思を通した場合の経験を語り、女優を引退した理由の一端を匂わせつつ、復帰への未練も感じさせ、芸術と人生の分かち難さをさりげなく体現しているようである。

また、友人のジュンスは愛猫に「我々」という名を付けている。甘やかされた「我々」は食いしん坊であり、犬と見間違うほどに大きく太っている。それはまさに我々の人生への愛を込めた皮肉であろうと読むのは安易かもしれないとしても、「我々」が失踪してしまったことに命が切れたように倒れ込むジュンスの姿や、その後の経緯の中に、さりげない形で人生の様相が凝縮されていく（ように見える）。

デブ猫に象徴される食／欲望の主題は本作で重要である。サンウォンら3名の女性はラーメンを食べるのだが、ジスの取ったある行為の中に、サンウォンは俳優に不向きな性格を読み取ってしまう。言葉にこそ出さないが、自己主張の不足したジスを呆れたように見つめる。サンウォンの芯の強さを感じさせ、おそらく芸術の世界へ戻っていくのだろうと予感させる。

一方、演技の世界についてサンウォンがある程度親切に従妹に語ってあげるのに対し、詩の世界を生きるウィジュは、なかなかそうはいかない。愛や人生に関するジェウォン青年の漠然とした問いかけは、より厄介だ。「君が愛について質問するのは、君に恋人がいないからだ」などと答えてウィジュははぐらかすのだが、ここでホン・サンスは問題をはぐらかすように見せかけて、人生の本質を捉えるような設定を用意する。ウィジュには、人生や愛や詩の存在意義よりも、より切迫した関心事があるのだ。心臓の事情で医者から喫煙と飲酒を止められており、ウィジュは芸術論議よりも何よりも、酒を飲んでタバコが吸いたいのだった。

もちろん、ホン・サンス映画において酒が飲まれないことなどありえないわけで、30作目でその掟が破られることなどあろうはずもない。ウィジュはジエウォン青年の無邪気な誘いに軽々と乗り、結果テーブルの上にはお馴染みの緑の瓶が何本も並ぶことになる。興が乗り、負けるとイッキ飲みのじゃんけんゲームまで始まってしまう。ここでウィジュがなかなかじゃんけんに負けない（つまり飲みが回ってこない）のもとても笑えるのだが、ともかく詩の話などしている場合ではないのだ。

創作の源泉にもなった快楽を犠牲にして長生きすることにどれだけの意味があるのか、それはもはやクリシエであろうけれども、いつの時代も切実な問いであるに違いない。ウィジュは美味しそうにタバコをくゆらし、その煙は、矛盾した人間の心を語ることこそが詩であると言わんがばかりに、宙に漂い消えていく。

会話の端々から現実と人生が立ち上るような空間において、しゃべっている時はもちろん、黙っていても雄弁であり得るキム・ミニとキ・ジュボンという常連の存在はやはり心地よい。一方で瞬時に息を止めさせるような、ここぞという時のズームの寄りも健在であり、全く油断がならないのも「いつもの」ホン・サンスである。

深読みをするのもよいし、示唆に富む会話を楽しむだけでもいいだろう。さりげない瞬間が人生の岐路になりうるような、あるいは全ての瞬間が人生そのものであるような、シンプルにして芳醇なホン・サンスの世界。30作目にして、今後のさらなる深化を約束するかのような作品である。

**矢田部吉彦**（やたべ・よしひこ）
東京国際映画祭でコンペティション部門と日本映画部門の作品選定を長年務め、現在、フリーランス。共著に『観ずに死ねるか!』。noteにカンヌその他の映画祭歴訪日記を毎年執筆。

◉インタビュー

# 荒井晴彦、ホン・サンスを語る

取材・構成　小出幸子

撮影　野村佐紀子

――ホン・サンス作品の魅力について、荒井さんはどのように思っていらっしゃいますか。それと荒井作品との共通点もあるかと。

**荒井**　自分（の体験）を出すというか入れるというか、私小説的な映画というところで近しいものを感じてきました。主人公は監督が多い。

あと、大学の映画学科の先生という設定も俺と共通しているし。観るたびに、また監督で大学の先生なんだと、同じ設定で臆面もなく「私映画」をやり続けることに、俺はここまでできねぇなと思った。

俺の脚本デビュー作『新宿乱れ街　いくまで待って』（77）の主人公は、まだシナリオライターにもなれない自分だった。サラリーマンを描けと言われても、ましてや警官なんて言われると困ってしまう。自分のこと以外は書けなかった。主人公を毎回、シナリオライターにできたらなと思っていたから、ホン・サンスの作品を観たときは、「なんだ、自分がやりたくてできなかったことをやっている」と思いました。でも、多分この人は、メジャーにはいけない、いかないとも思いましたね。

――荒井監督の新作『花腐し』(23)は、ホン・サンスにヒントがあると。

**荒井**―男2人が、酒を飲みながら別れた彼女の話をするわけです。それが同じ女なわけ。2人の男がそうと知らずに同じ女の話をしているという設定は、ホン・サンスの『ハハハ』(10)です。彼の映画は、それが同じ女だったと分からずに終わるけれど、俺の映画は分からせた。

お礼に韓国スナックの店名を「気まぐれな唇」にした。

――ホン・サンス作品との出会いはいつ頃でしたか。

**荒井**―最初に観たのは『気まぐれな唇』(02)で、イメージフォーラムで開催された「韓国インディペンデント映画」のときだったと思う。神代(辰巳)さんの『恋人たちは濡れた』(73)みたいなタッチでね。『気まぐれな唇』は、ふらふらと旅をして女の子を口説いて。主人公の彼は今で言うとストーカーだよね。

――最後、彼が女の子の家の前で待っていて、結局、女の子は出て来なくて雨の中を去っていく。

**荒井**―普通、あの家の扉の前では終わらないでしょう。門がラストショットなのだけれど、例えばその後、釜山へ帰る列車でまたナンパする、で終わるとか。

――もうひとつ展開があったほうがいいと?

**荒井**―ホン・サンスを観ていると、え、ここで終わるのかと思うことも多い。でも、ラストらしいラストを拒否しているのかもしれないね。俺は、起床転結を叩き込まれているから、オチが無いじゃんと取り残されたように思うけれど。まあ、その物足りないところが良さでもあり、マイナーポエットたらしめているところなのかな。韓国で客は入らないと思うけど、ヨーロッパで評価されてるみたいだからマイナーポエットじゃないのかな。

ホン・サンス『気まぐれな唇』

荒井晴彦『花腐し』 ©2023「花腐し」製作委員会

知らない町に来てナンパする。それと、必ずどこかで別れた女の話が出てくる。再会して、焼けぼっくいに火が付くみたいなことになる。ずっとそれできていて、ほとんどの作品が90分以上ある。でも、最近の作品は短いよね。セックスシーンがなくなったと同時に短くなって、1日とか2日の話。

――最近の作品は、女性映画のようなルックです。

**荒井**｜キム・ミニと付き合い出してから変わったとしか思えない。とにかくセックスシーンがなくなった。それまでは、要するにナンパ映画だよね。で、かつては劇中で、女癖が悪い監督とか、いつも同じような話を撮っていて、退屈だとかも言わせて自己批評的なことをやっている。不倫（事件）で外国に逃げて、帰ってきた女優とか。

彼は、基本的にワンシーン・ワンカットで、カットを割らない代わりに、どうしてここで寄るのというズームがある。カットを割る代わりにズームとパン。カット割るとライティングとか変えなくちゃいけないからね。あと、モノローグを使うね。「私」だから。俺は使わないけど。

## 資金がない中でも出来る工夫をやっている

――手法として確立されている?

**荒井**｜まあ、全部予算の問題だと思うけれど。お金がなくて映画を撮ろうとすると、こっちへいくのかと思う。ましてフィルムではなく、デジタルカメラだったら。この手法、晩年の沖島（勲）さんの『怒る西行』（09）とか思い出すな。玉川上水を沖島さんが喋りながら石山友美さんと二人でただ歩いて井の頭公園に着いて。「これでいーのかしら」と言って終わる。

撮りたかったら、資金が無くてもビデオカメラひとつあれば、映画は出来るというのを思い出したんだよ。ホン・サンスはそれに近いと思う。近作は一日の話だったりするから、多分すごく安く撮っていると思う。

菊地成孔が、「ホン・サンスの映画はロメールとゴダールとブニュエルの三種盛り」って言っているけれど、そんなにすごいのかなあ（笑）。ヌーヴェルヴァーグだとも言っている。

でもヌーヴェルヴァーグは彼らが撮影所から飛び出してロケ撮影したと言われてるけど、撮影所では撮れないからでしょう。日本のピンク映画もずっとそうなわけで。セットで撮るのはお金がかかるから。まあ、ロマンポルノは撮影所があったけれどね。だから、ヌーヴェルヴァーグがオールロケっていうのは60数年前だから画期的だったんで、今では当たり前だと思うけれど。

――日活ロマンポルノの話が出ました。

**荒井**　ホン・サンスはロマンポルノみたいだなと思った。

その頃、日本に入ってきた韓国映画はもっと違う感じだったよね。パク・チャヌクの『ＪＳＡ』（00）とか、カン・ジェギュ監督の『シュリ』（99）とか。韓国映画って垢抜けないというか、エンタメ志向で妙に分かりやすかった。

ホン・サンスを観たときに感心したのは、全然ハリウッド映画を目指してないと思ったから。韓国の監督で一番好きだなと思った。でも、その、ナンパと不倫の映画だけ撮ってきた監督が最近は違う。

ホン・サンスもやられたみたいだけど、不倫で俳優がテレビや週刊誌で叩かれる。だからなのか、若い人は不倫は犯罪みたいに思ってるんじゃないのかな。ネットなんかで見ると、『あちらにいる鬼』（22）は不倫映画だからそれだけでバツみたいな感想もある。そうか、不倫っていけないのか、と言うのもおかしいけど。

――ホン・サンス監督は、今でもずっと海外の国際映画祭に出品しています。今年のベルリンに出した『In Water』（23）は、上映前に「この作品は映写の手違いではありません。監督の趣向です」と注意書きがあり、映画はピンボケと言うか焦点が合っていない感じだったそうです。

**荒井**―水の中だからボケてるのかな。リアリズムで。やはり、資金がない中で出来る工夫をやっているのだろうね。前衛的であるというより、基本的には予算なのじゃないかと思う。それが前衛的試みと評価されるのはあり得ることだよね。それは、ピンク映画でもやってきたことだから。3日や4日で撮っていた。大和屋(竺)さんの『荒野のダッチワイフ』(76)は、ストップモーションができないから、止まった振りをしている。

俺はピンク映画をやっていて、ストップモーションとハイスピードが夢で夢で(笑)。出来ないのが分かっていて、「ここでストップ」と脚本に書いていた。それが今では、編集で簡単にできる。カメラマン抜きでハイスピードにしたり、ズームにしたり。お金がなくてもフィルムじゃないことによって、できる範囲が広がっているね。だけどホン・サンスは、基本的に会話で持っていくじゃない。そして、最近では、より会話だけになりつつあるよね。公園で喋ったり、喫茶店で喋ったり、食堂で喋ったり。酒と煙草は相変わらずで。

若い頃に初めて小津映画を観て、変だなあと思った感じ。「今日はいい天気ですね」「そうですね」みたいなことばかり言っていて、若い頃は笑ってしまったみたいな。そんな最初の小津体験に近いものを、最近のホン・サンスには感じるね。セリフもセットも作り込まない小津ね。でも、前みたいにセックスシーンも撮りつつ、「私映画」の極北を目指してほしいな。

2023年5月18日
新宿・bura

**荒井晴彦**(あらい・はるひこ)
1947年生まれ。脚本家。監督。日本映画大学名誉教授。季刊「映画芸術」発行人。『火口のふたり』がキネマ旬報ベストテン第1位。4本目の監督作『花腐し』は2023年初冬公開。

◉付録

# ホン・サンス10の言葉

採録・コメント　相田冬二

プレゼンテーションという行為から程遠い作品を作り続けるホン・サンスは、インタビューにおいても当然、プレゼンテーションはおこなわない。

インタビュー嫌いとして認知されているが、その言葉からは正直さが感じられる。質問に対して、今思っていることを正直に答えていくと、さほど面白みのあるものにはならないという真実が、そこでは結果的に吐露されているとも言える。

もっともらしいことは言わないし、気の利いた比喩も用いない。また、自分自身と作品とを都合よく合致させているようにも思えない。そこには無理がないし、無理をすり抜けているとも言える。

彼が発した言葉と、そこから推測される物事との、関係性そのものこそ、ホン・サンス的な何か、なのかもしれない。

２０２２年、２０１２年、２００２年。この20年の間に存在する、３つの時期の発言を、ホン・サンス映画のように、時系列に沿わないかたちで配置し、この映画作家の一貫性を俯瞰してみたい。

また、どの映画についての発言なのかは、そして、どんな質問に対する答えなのかは、あえて明記しない。

## 1

「まったくの自然な状態というものはないと思います。彼や彼女が部屋にひとりでいたとしても、それが自然と言えるかどうか分かりません。私たちはいつも自分たちの考えにコントロールされて、何かを意識したり、過去に囚われていたり、何者かにな

ろうとしています。それが自然なのかどうか、私には分かりません」(2022年)

私たちは、彼の映画に出逢う時、あまりの素っ気なさに、彼が目指しているものは「自然さ」なのかもしれないと考える。しかし、その「自然さ」が、私たちが生きている現実に接近しているかと言えば決してそうではないことに、すぐに気づく。

既知の情緒に「出会い直す」ことからズレ続けるホン・サンス映画は、現実の模倣としての「自然さ」ではなく、あるいは、既存の映画が提示してきた「自然主義」でもなく、彼の映画において「それは自然なことなのだ」という現象に遭遇しているだけに過ぎない。

自分であること。自分であろうとすること。

そこには「演じられた自然さ」があるのかもしれない。

誰かといる時、ひとりでいる時、そこには違いがある。ホン・サンス映画が描く人物たちもやはりそうで、その相違点を捉え直したくなる。

自分にコントロールされることとは、いったいどういうことなのか。あらためて自問自答したくなる。

## 2

「自分が映画を撮る時にカメラのアングルを決定する理由は、そのカメラアングルが他の別な映画をなるべく想像させないような、中性的なアングルで撮ることが一つ。もう一つは経済的に撮ることです。経済的というのは予算的にという意味ではなく、カメラの経済、つまり、自分がこのシーンでこのタイプの人間を撮りたい、こういうカットで撮りたいという時に最も簡潔に、そして最小限に撮るにはどういうカメラの動きをしたら撮れるかということを二番目に考えるのです」(2012年)

中性的に撮る。

アップでもなく、ロングショットでもない。

エモーショナルに近づくわけでもなく、彼方から凝視するわけでもないホン・サンスのカメラアングルは、できるだけ抑揚が派生しない地点を探索した結果なのかもしれない。

中途半端さが、作為に陥らないように。

欠けているわけでも、満ちているわけでもない。

被写体との距離感。

的確であろうとはしている。しかし、的確に映ってしまっては、既視感が立ち上がってしまう。

最小限で、どこにも属さない時空を捉えること。

それがまさぐられている。

## 3

「全てのものに意味がない、理由がないというのは、私の考えからきていることだと思うのですが、意味や理由はなくても、必要性は理解します。人間が生きていく上で意味は必要です。意味であるとか、本質、あるいは確信、メッセージ、そういうものは生きていく必然として必要だと思うのです。でもそれと同時に、全てをそれで表現することはできないと思うのです。たとえばあなたがある女性を好きだとしますよね。誰かから、なぜ彼女のことを好きなの?と訊かれて、あなたが彼女はこうだから好きだと答えたとします。でもあなたが家に帰ってからよく考えてみると、自分の言った理由が嘘だと気づくと思う。なぜか。それは単に好きだから。理由もなく好きなのだけど、そのことは家に帰って考えてみたら気づくことだと思う。でも、訊かれたら、これこれこういう理由で好きなんだ、私にはこんな風に好きな彼女がいるんだと紹介する必要性があるわけですよね。自分はこういう理由で好きだと、そういうことを本当に信じていたとすれば、たぶん後々になって、そのことが理由となって二人の間が上手く

いかなくなる可能性もあると思うのです」（2012年）

ホン・サンス映画の人物は、意味や理由にとらわれない言葉をよく呟くし、実際、理由を問われた際、「意味はない」と答えた場合もある。

ホン・サンス自身は、意味というものは、生きていく上で必要だと考えているようだ。だが、どうやらそれは根源的に不可欠ものというよりは、道具に近い何かのようであり、意味というツールを盲信すべきではない、という理念が感じられる。

理由を問われたら、答えるのが人間の道理であり、自分も含めて誰もがそうしているが、意味を口にする場合、それは（悪意のない）嘘であろう。円滑なコミュニケーションのためにそうしているだけで、「意味」に意味などない。そんな風に述べているようだ。

もし、誰かを好きになる「理由」があると想定し、それを編み出し、それを信じるようになったら、自縛され、自爆するかもしれない。

言葉は、人に安心感を与える。だからこそ、それを信仰するし、あたかもそれが永遠のものであるかのように錯覚する。確かに、それは危険なことなのかもしれない。

ホン・サンス映画はおしゃべりだ。だが、会話が全てを内包することはないし、本当がこぼれ落ちるとも限らない。

秘められているかもしれないし、秘められていないかもしれないが、人間や関係性を規定し、固定する「意味」から遠ざかり続けるのが、彼の作品世界を飛び交う言葉なのである。

## 4

「私が見ているのは俳優たちの過去の仕事ではあ

りません。特に、初めて仕事をする相手なら、その人がどんな人であるか、その人柄を見ようとします。その人は素晴らしい経歴の人かもしれませんが、それはどうでもいいことです。その人に会って得られる印象の方を大切にしたいからです。話を始めると2時間くらいになることもありますが、話しながら、一つの「手がかり」を待つのです。曖昧な、まだよく知らぬ人が私の目の前にいて、その一方で、私という人間もその場に存在し、その私が目の前の人から流れ出てくる「手がかり」を大切に受け止めて、物語か何かが私の中に浮かんでくるのを待つ。その時、相手から私に示されるあらゆる「手がかり」を私は受け止めます」（2022年）

過去の出演作ではなく、本人の印象を大事にするというのは、映画監督として普通のことであろう。

しかし、ホン・サンスの発言が興味深いのは、「手がかり」を待つ、という点だ。「手がかり」は相手が派生させるものであり、そこからインスパイアされるものに賭けている節がある。

つまり、自身が想定した物語に演じ手を当てはめるのではなく、未知の相手と自分との間に「手がかり」が醸成されることを待つ。

ひょっとすると、その時間こそ、ホン・サンスにとって最もドラマティックなのかもしれない。

## 5

「人を観察すると、その人が隠したいと思っていることや話していないこと、あるいは誇張していることなどが見えてきます。そんな姿は私自身の中にもあるということを認識し、連帯感をおぼえることがあります。私はそんなことを基盤にして、その人たちに近づこうと努力しているのです」（2002年）

誰もが、隠蔽とデフォルメを生きている。

言いたくないことは言わないし、こう見せたいという願望としての自己像がある。

つまり、削ったり、足したりの連続である。

ホン・サンス映画は、一見、人間の本質を暴いているように映る。また、秘密を覗き込んでいるようにも感じられる。

しかし、いつだって肝心なことは明らかにしないし、みだりに引き摺り出したりもしない。

隠蔽とデフォルメに連帯しつつ、接近する。

解明なき接近。

だからこそ、私たちは彼の作品に不思議な安堵をおぼえるのだ。

## 6

「何かを繰り返そうとしても、全く同じように繰り返すことはできません。しかし、見方を変えれば、全てが繰り返すとも言えます。気にしても仕方がない。今していることを通して新鮮な何かを感じられるなら、繰り返しになってもかまいません」(2022年)

反復は、ホン・サンス映画の大きな特徴だ。

生きることは反復かもしれないし、人生に同じ日はない。

どんなに凡庸に思える平日も、繰り返しではない。

繰り返そうと思っても繰り返せないのが、人生でもある。

映画の中の物語もまた然り。

繰り返すことによって、決定的な新しさでも、安心感ある古さでもない、新鮮な何かが生まれる。

それは料理において、かき混ぜ、シェイクし、泡立てるようなことなのかもしれない。

反復という、結論のない営み。

## 7

「たとえば、私たちが映画を観て、この映画のカメラのアングルが素晴らしいなと思うことがあるとするじゃないですか。でも、それはすでに見たことがあるものを映画の中で再び見て、美しいと言っているような気がするんですよね。想起したのは、他の映画であるとか、他の写真であるとか、それらはすでにイメージが付いているというか、色が付いてしまっているものなのではないでしょうか。私は映画を通じて、ある場所を決めて、その場所の中で全く新しい経験をしたいのですが、その中でカメラのアングルにしろ、俳優の演技にしろ、これまでの他の映画を思わせるものがあると新しい経験にはならないですよね」（２０１２年）

ホン・サンス映画には、語りやすさと語りにくさが、同時にある。

それは、何かに似てないからである。

しかも、「新しい映画」とも言わせない何かがある。

彼が企んでいるのは、「新しい映画」ではなく、「新しい経験」なのかもしれない。

日々、目覚めの感覚が違うような。あるいは、眠りに落ちる状況が違うような。

そんな「新しい体験」。

## 8

「何か、全く新しいことをしようとしても、それは不可能です。そして、全く同じことをしようとしても、それも不可能です。大切なのはもっと違うことですから、気にしません」（２０２２年）

新しさの不可能性。

新しさの可能性。

そのいずれもを盛り込もうとするホン・サンスは、本当に贅沢な作家である。

## 9

「色はコンピュータで調整しています。この映画のモノクロの映像はすべてカラーで撮影してからモノクロに変換したもので、映像の質が低下するように意図して撮影しています」（2022年）

近年の作品は、映像だけでなく音響も、ロウファイが模索されている。

脚本の洗練を拒み、主題が透けないように、円環が閉じないようにフィルモグラフィをかたちづくってきた男は、いよいよ、可視化される領域で脱構築を目論んでいる。

## 10

「世の中には幸せに暮らしている人たちがいます。確かにいます。私はそうでない人たちを描きたいと思っています」（2002年）

ホン・サンスの映画はゆっくり変容してきた。しかし、全く変わらないことが一つだけある。

彼は、幸せな人々を描いたこともなければ、幸福を描いたこともない。

日記をつけるような気楽さで、作品をアップデートしてきたホン・サンス。

アイデアも枯渇せず、またマンネリに堕すこともない幸せな芸術家は、一貫して、幸せとは別の場所で生きる人間を見つめている。

筆者略歴は作品論14・22に掲載

## ホン・サンスの中短編作品

●中編

**深い山奥　デジタル三人三色 2009：ある訪問**

韓国 / 2009 年 / カラー / 31 分

어떤 방문 : 첩첩산중　Lost in the Mountains

Jeonju Digital Project 2009: Visitors

監督・脚本 ホン・サンス　出演 チョン・ユミ、イ・ソンギュン、ムン・ソングン

日本初上映 2009 年 10 月 17 日（第 22 回東京国際映画祭）

全州（チョンジュ）国際映画祭が 2000 年から 2014 年に製作したアジアの監督によるオムニバス映画シリーズで発表された一編。若い作家（チョン ユミ）は車を運転して親友を訪ねるが会えず、かつて不倫関係にあった教授（ムン・ソングン）と一夜を過ごす。しかし親友も教授と寝ていることに気づき、大学時代のもう一人の恋人（イ・ソンギュン）に怒りをぶつける。『教授とわたし、そして映画』（10）の主要キャストが出演。

**リスト**　韓国 / 2011 年 / カラー / 29 分

리스트　List

監督・脚本 ホン・サンス　出演 チョン・ユミ、ユ・ヨンジョン、ユ・ジュンサン

日本未公開

母（ユ・ヨジョン）と娘（チョン・ユミ）は海辺の町モハンで休暇中、金銭トラブルを抱えて当地に来た叔父の不平を言い合う。娘は休暇中にやりたい事柄をリスト化するが、母と町を散策するうち、偶然にもそれらが達成されてくる。『３人のアンヌ』（12）のスピンオフで、同作の撮了後、韓国人の主要出演者３人で撮影された。『ヘウォンの恋愛日記』（13）に通じる一編。

●短編（いずれも日本未上映）

**50:50　ヴェニス 70 リローテッド**

韓国 / 2021 年 / カラー / ２分

50:50　Venice 70: Future Reloaded

監督・脚本 ホン・サンス　出演 ムン・ソリ、キム・ウィソン、ソン・ヨンファ

**ホン・サンス　最優秀脚本賞としての銀熊賞受賞者**

韓国 / 2021 年 / カラー / ２分

Hong Sangsoo-Winner of the Silver Bear for Best Screenplay

**ニューヨーク映画祭への手紙**

韓国 / 2021 年 / カラー / ４分

Letter to the New York Film Festival

**スモールフラワー**

韓国 / 2022 年 / カラー / １分

Small Flower-A Greeting from Hong Sangsoo

## ホン・サンス作品の市販ソフト

（2023年6月現在）

●Blu-ray　発売日2023年8月2日（水）

### 逃げた女

2020

**発売**　ミモザフィルムズ

**販売**　オデッサ・エンタテインメント

**特典映像**　劇場予告編

**封入特典**　ポストカード

→ 紹介は 164-167 頁

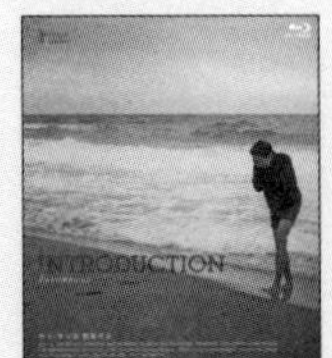


### イントロダクション

2021

**発売**　ミモザフィルムズ

**販売**　オデッサ・エンタテインメント

**特典映像**　劇場予告編

**封入特典**　ポストカード

→ 紹介は 168-171 頁

### あなたの顔の前に

2021

**発売**　ミモザフィルムズ

**販売**　オデッサ・エンタテインメント

**特典映像**　劇場予告編

**封入特典**　ポストカード

→ 紹介は 172-175 頁

●DVD

### 「カンウォンドのチカラ」「オー!スジョン」作家主義ホン・サンス DVD-BOX

**発売・販売**　A PEOPLE

**販売代理**　オデッサ・エンタテインメント

**【DISC 1】**

**カンウォンドのチカラ**　1998

→ 紹介は 58-61 頁

**【DISC 2】**

**オー!スジョン**　2000

→ 紹介は 62-65 頁

## 「フィルムメーカーズ」シリーズ再スタートにあたって

「フィルムメーカーズ」シリーズは、１９９７年、キネマ旬報社の故・竹内正年社長に企画を提案したところから始まりました。同社の「世界の映画作家」シリーズのリニューアル企画として考えていました。ヴィジュアル性、資料性を充実させることを主眼に置き、一冊ごとにその作家に詳しい著名な方に責任編集をお願いすることにしました。

こうしてシリーズは始まり、当初は一冊1万部以上が売れる人気シリーズとなりました。同社での発行は18冊まででしたが、私は、いつかシリーズの再開を考えていました。

私が京都に移住し、宮帯出版社にダメ元でシリーズの再開を願い、それが通りました。２０１８年のことで、17年のブランクができていました。同社で6冊を刊行しましたが、次を出すことが、また困難となりました。

そしてこの度、私自身の会社オムロで発行することにしました。3度目のシリーズの刊行です。復刊一冊目となる本誌は、ここ数作ホン・サンス作品の配給をされているミモザフィルムズの村田敦子社長の提案により成立しました。責任編集を人気女優の筒井真理子さんにお願いすることができました。このお二人には特別に感謝する次第です。

有限会社オムロ　取締役社長　西田宣善

## 編集後記

ホン・サンス映画は癖になる。まず、1本観てみる。なるほど、女たらしの主人公、酒席での言い争い、時制への戸惑い、想像したものとは異なる映画体験。でももう一回、もしくは、また違うタイトルの作品を観る。思いもよらぬ会話の深さ、ダメ男でもその行動は憎めず、時間の推移は映画の純度を促し、どれも独特の余韻を残して終わる。

30本に及ぶ、初期から今、現在に至るまでの作風の変遷はあっても、通底するものは変わらない特別な監督。そして多分、映画と人生に真正面から向き合う監督。

この辺りに関しては、執筆を頂いた方々や、対談に登場して下さった加瀬亮さん、深田晃司監督、町山広美さん、取材を受けて下さった荒井晴彦さんたちの話を、作品を観ながら、より感じて頂けたらと思う。また、お名前を全て挙げられなくて申し訳ないが、各作品を深く考察してくださった執筆陣に大いなる感謝を捧げます！

それと、この本の共同編集と制作・組版をやって下さった四月社の赤塚成人さんお疲れ様でした。

小出幸子

**筒井真理子**（つつい まりこ）
1982年、早稲田大学在学中に第三舞台に入団し、看板役者として数多くの公演に出演。1994年『男ともだち』で映画初主演を務め、以降『クワイエットルームにようこそ』（2007）『アキレスと亀』（2008）『愛がなんだ』（2019）『ひとよ』（2019）『影裏』（2020）『天外者』（2020）『夜明けまでバス停で』（2022）などの作品で、その圧倒的な存在感と演技力で地歩を固める。カンヌ国際映画祭で審査員賞を受賞した『淵に立つ』（2016）では多数の映画祭で主演女優賞受賞。『よこがお』（2019）ほかで令和元年度芸術選奨映画部門 文部科学大臣賞、全国映連賞・女優賞受賞。Asian Film Festival の Best Actress 最優秀賞受賞。2023年、主演作『波紋』が公開された。

[写真提供] ミモザフィルムズ、ビターズ・エンド、A PEOPLE、FINECUT、Chungeorahm Film、クレストインターナショナル、東映ビデオ、川喜多記念映画文化財団

Filmmakers 24
HONG SANG-SOO

**フィルムメーカーズ24　ホン・サンス**

**2023年6月30日発行**

企画編集・発行人　**西田宣善**
責任編集　**筒井真理子**
編集　**小出幸子**
発行　**オムロ**
**〒616-8095 京都市右京区御室芝橋町 29-202**
**TEL 075-366-8034**

台割作成・編集・組版　**赤塚成人**（四月社）
カバーデザイン・誌面レイアウト　**三谷良子**
対談写真　**制野善彦**
校正　**山口あんな**

編集協力　村田敦子　大堀知広　早川 玲　小林淳一　渡辺恵美子
丸山杏子　和地由紀子　阿部真佑　逵 真平　伊藤さとり
印刷・製本　日本紙工印刷

ISBN 978-4-9908954-2-6 C0074　